ТАТЬЯНА УСТИНОВА
РЕКОМЕНДУЕТ:

«Екатерине Островской и ее детективам удалось подарить мне не один головокружительный вечер за увлекательным чтением, и поэтому я советую вам эти книги!»

ТЕМНИЦА ТИХОГО АНГЕЛА
ЖЕЛАТЬ НЕВОЗМОЖНОГО
ЗАПОВЕДНИК, ГДЕ ОБИТАЕТ СМЕРТЬ
МЕРТВАЯ ЖЕНА И ДРУГИЕ НЕПРИЯТНОСТИ
МОТЫЛЕК АТАКУЮЩИЙ
ОХОТНИК ЖЕЛАЕТ ЗНАТЬ
Я СТАНУ НОЧНЫМ КОШМАРОМ
НЕТ МЕСТА ЖЕНЩИНЕ
СВЕРХ ОТПУЩЕННОГО СРОКА
УКРАДЕННЫЕ ВОСПОМИНАНИЯ
ПУТЕШЕСТВИЕ ПО ТУ СТОРОНУ
НЕ РАССТАНУСЬ С ВАН ГОГОМ
ЧЕРНЫЙ ЗАМОК НАД ОЗЕРОМ
МЕЧТЫ О ЛУЧШЕЙ ЖИЗНИ
АНГЕЛАМ ЗДЕСЬ НЕ МЕСТО
УПАСТЬ ЕЩЕ ВЫШЕ
ВСТРЕЧА, КОТОРОЙ НЕ БЫЛО
ИСПОВЕДЬ БЕЗ ПРОЩЕНИЯ
С ТОБОЙ МНЕ НЕ СТРАШНО
ДВА РАЗА В ОДНУ РЕКУ
ДЕМОНЫ ПРОШЛОЙ ЖИЗНИ
ПОМОЛВКА С ЧУЖОЙ СУДЬБОЙ
АКТЕРЫ ЗАТОНУВШЕГО ТЕАТРА

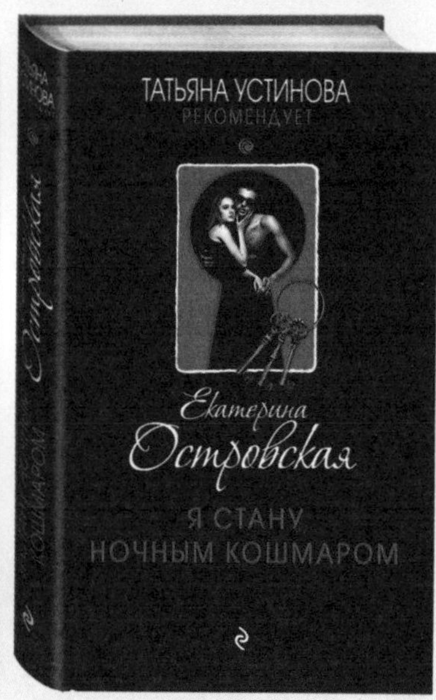

Куратор серии **Татьяна УСТИНОВА** – один из самых востребованных авторов детективного жанра в России. Благодаря ее рекомендации авторы находят свою аудиторию, а читатели имеют возможность без опаски приобретать книги – имя Устиновой на обложке давно стало своеобразным синонимом качества, особым знаком для посвященных.

ТАТЬЯНА
УСТИНОВА
РЕКОМЕНДУЕТ

Екатерина Островская

АКТЕРЫ ЗАТОНУВШЕГО ТЕАТРА

Москва
2018

УДК 821.161.1-312.4
ББК 84(2Рос=Рус)6-44
О-77

Оформление серии *А. Старикова*

Островская, Екатерина.

О-77 Актеры затонувшего театра : [роман] / Екатерина Островская. — Москва : Эксмо, 2018. — 320 с. — (Татьяна Устинова рекомендует).

ISBN 978-5-04-095766-8

Возвращаясь из зарубежной командировки, Вера Бережная встретила на улице Стокгольма своего знакомого, бывшего министерского чиновника Бориса Софьина. Оставив должность, он решил заняться организацией круизов и предложил Вере вернуться в Санкт-Петербург на его фешенебельной яхте. Борис обещал незабываемую поездку, ведь на яхте сейчас гастролирует театральная труппа. И действительно, эту поездку Вера вряд ли забудет! В первый же день путешествия была убита чиновница, которая курировала театр и сопровождала актеров. И причины желать ей смерти нашлись у каждого из служителей Мельпомены...

УДК 821.161.1-312.4
ББК 84(2Рос=Рус)6-44

ISBN 978-5-04-095766-8

Екатерине Островской в детективных романах удается одинаково живо и колоритно описывать и европейское Средиземноморье, и дождливый Питер, и узбекскую пустыню — а это признак большого мастерства писателя, не ограниченного условностями и опасением ошибиться. У Островской виртуозно получается придумывать невероятные, выдающиеся, фантастические истории, в которые точно можно поверить благодаря деталям, когда-то верно замеченным и мастерски вживленным в текст.

Но Екатерина Островская не просто выдумывает и записывает детективные истории. Она обладает редкой способностью создавать на страницах своих книг целые миры — завораживающие, таинственные, манящие, но будто бы чуточку ненастоящие. И эта невсамделишность идет произведениям только на пользу... А еще все книги Островской нравятся мне потому, что всю полноту власти над собственными выдуманными мирами Екатерина использует для восстановления справедливости наяву.

Из романа в роман Островская доходчивым и простым языком через захватывающее приключение доказывает нам, что порядочность, отвага, честность и любовь всегда победят ненависть, подлость, злобу и алчность. Но победа легкой не будет — за нее придется побороться! Героям Островской — самым обыкновенным, зачастую невзрачным, на первый взгляд ничем не примечательным людям — приходится сражаться за свою жизнь, преследовать опасного преступника, а потом героически, зачастую на краю гибели, давать последний бой в логове врага без видимых шансов на успех и... брать верх, одерживая полную победу. «И в этой пытке многократной рождается клинок булатный»: закаляется характер, простые люди становятся сильными, бесстрашными и по-настоящему мужественными героями.

Татьяна Устинова

Глава 1

Вера Бережная прогуливалась по самому центру Стокгольма, по узкой улочке старого города Гамла Стана, когда ей позвонили из отеля и сообщили, что на завтрашний рейс в Петербург билетов уже нет.

— Туда же две компании летают, — напомнила Вера. — И на оба рейса нет билетов?

— Такое случается, — ответили ей. — Вот если бы у вас был билет с открытой датой, то, возможно, смогли бы улететь. Но вы не переживайте, в авиакомпании «САС» есть два места в бизнес-классе на послезавтра. Будете бронировать?

— Подумаю и перезвоню.

Разговаривать на ходу было неудобно, и потому Вера остановилась возле витрины какого-то магазинчика, в которой отражались она сама и пустая узенькая улочка, мощенная булыжником.

— Вы можете заказать билет, а потом отказаться, — настаивал мужской голос.

— Перезвоню, — повторила Вера и закончила разговор.

Она еще раз посмотрела в витрину на свое отражение, хотела поправить прическу, что немного растрепалась на ветру с залива, но тут заметила, что внутри магазинчика кто-то стоит и рассматривает ее. Вера хотела развернуться и уйти, но вдруг поняла, что на нее через стекло смотрит молоденькая индианка в желтом сари и с красной точкой на лбу — бинди. Девушка улыбалась ей, и Вера, повинуясь внезапному порыву, открыла дверь и вошла внутрь.

Магазинчик был небольшой, в нем продавали самоцветы и изделия из золота. Вера не планировала покупать украшения, но раз уж вошла, то стала рассматривать представленный товар.

Она посмотрела на улыбающуюся девушку.

— Это чандра?[1] — спросила Вера, коснувшись пальцем своего лба, зеркально отображая девушку. — Вы замужем?

Девушка смутилась.

— Нет, чандру могут носить и девушки, потому что это красиво. А это просто тика.

Девушка была очень молода — лет пятнадцать, вероятно. Она работала в магазине одна, даже охраны у входа не было. А золота на прилавке было много, в основном цепи: от совсем тоненьких и коротких, очевидно, предназначенных для детей, до мужских толщиной с мизинец

[1] Чандра — наносимая на лоб точка, которую ставят себе замужние индианки.

и весящих граммов двести — не менее. Индианка положила на прилавок кулончики на цепочках. Это были отполированные камни: желтые, зеленые, красные. Вряд ли натуральные минералы, в первый момент подумала Вера, но стала рассматривать их и поняла: камни самые что ни на есть настоящие — желтые и розовые топазы, зеленые, синие и черные турмалины, оливковые хризолиты, темно-красные гранаты..

Внимание Веры привлек один из кулонов, и она взяла его в руки. Крупный ограненный камень переливался светло-фиолетовым и голубым цветами, а порою казался и вовсе темно-синим.

— Сапфир? — поинтересовалась Вера.

— Танзанит, — тихо ответила индианка. — Очень редкий, но очень дорогой. Нам его один араб привез, прямо от Килиманджаро, где находится единственное в мире месторождение этого камня.

— Сколько граней?

— Пятьдесят семь. Это классическая брильянтовая огранка, чтобы подчеркнуть красоту камня и его блеск. Мой дядя работал с ним и восхищался его красотой. Камень был больше, но теперь его вес — восемь граммов, то есть сорок один карат.

— Сколько стоит?

— Сорок тысяч крон, — ответила девушка-продавец. — Этот камень притягивает богатство и роскошь, он стабилизирует глазное давление, успокаивает нервную систему, снимает усталость, боли в спине и предохраняет от простуды и воспалений...

— Красивый, — оценила Вера и отдала кулон индианке.

Платить за красивый, но неизвестный ей минерал почти триста тысяч рублей она не собиралась.

— У Тиффани он стоил бы пятьдесят тысяч евро или еще больше, — тихо произнесла девушка. — Возьмите. Это ведь ваш камень. Ведь вы Овен?

Вера кивнула. Но решения своего не изменила. Подумаешь, угадала продавец ее знак зодиака. Она повернулась к дверям.

— До свидания. Очень красивые минералы.

— Это ваш камень! — воскликнула ей вслед индианка. — Если вы будете носить его постоянно, то ваш мужчина вскоре вернется и не покинет вас никогда больше. Пятнадцать тысяч...

Вера повернулась. Девушка смотрела на нее, и глаза ее блестели от слез.

— Ваш мужчина воин?

Вера удивилась вопросу и кивнула.

— Вы его ждете?

Некая нереальность происходящего пугала Веру, но она вновь кивнула.

— Тогда он ваш, — уверенно проговорила индианка.

— С карты можно оплатить? — только и спросила Вера, голос почему-то охрип.

— Если только не «американ экспресс». Здесь не проходят платежи, — радостно закивала индианка.

Она достала бархатную коробочку и хотела упаковать кулон вместе с золотой цепочкой, но потом посмотрела на покупательницу и предложила:

— Давайте я надену его на вас.

Вера подставила голову, индианка надела ей на шею кулон и поправила волосы. Поднесла зеркало. Камень смотрелся и блестел шикарно.

— Берегите его и постарайтесь не разбить, — попросила девушка перед тем, как Вера подошла к двери. — Он очень хрупкий.

И тогда Вера поняла, что ее обманули. Как она не догадалась сразу? Какой-то араб с горы Килиманджаро, из центра Африки, из страны, которая когда-то называлась Занзибар, привез этот минерал в Стокгольм! Не в Голландию, или в Швейцарию, где такой камень продал бы в несколько раз дороже, а в Стокгольм, где он не нужен никому, кроме странной девочки из индийской лавки.

Занзибар! Страна, в честь которой по всему миру называют теперь питейные заведения с дискотекой. Надо было подумать, а не соглашаться сразу.

Вера обернулась и увидела, что узкая дверь

за прилавком отворилась и оттуда вышел старый смуглый индус с длинной седой бородой и в белой чалме.

«Белую чалму носят мужчины сикхи, — вспомнила Вера. — Носят, когда у них траур».

Затевать скандал и возвращать покупку она не стала. Открыла дверь.

— Будь счастлива, — произнес ей вслед тихий мужской голос.

Глава 2

Вера вышла из магазинчика, повернула налево, сделала с десяток шагов, вспомнила, что как раз оттуда пришла, — впереди стояла кирха Святого Николая. Развернулась. В лицо сразу ударил сильный порыв ветра. Пришлось опять подставлять спину и двигаться обратно к кирхе. Там был поворот направо в сторону королевского дворца.

Вера шла, стараясь держаться рядом с древними серыми зданиями. Они хоть немного прикрывали от ветра. Но потом пришлось опять свернуть к набережной, надо было перейти мост, по которому полз непрерывный поток автомобилей. За мостом виднелось здание гранд-отеля «Стокгольм». Идти недалеко — минут двадцать, не больше, но продираться сквозь порывы колючего ветра не хотелось.

Автомобилей на набережной почти не было. Но Вера не успела сделать и двух шагов, как рядом проехал большой черный автомобиль и тут же остановился. Задняя пассажирская дверь отворилась, из салона выглянул мужчина.

— Вера? — спросил он удивленно и тут же, узнав окончательно, широко улыбнулся. — Верочка! Какая встреча! Надеюсь, не забыли меня? А я еду, смотрю в окошко — девушка симпатичная. Даже удивился: откуда в Швеции такие? А потом как молнией пронзило. Вы что, забыли меня?

— Вспомнила, — улыбнулась Вера. — Мы как-то летели в одном самолете.

— Ну, конечно! Мы с Дезиком — в Давос, а вы — в Цюрих. Нас посадили в Мюнхене, и мы четыре часа просидели в баре. Так чудесно тогда пообщались! Дмитрий Захарович, если не ошибаюсь, тогда вам дал визитку. Мы с ним потом даже поспорили: позвоните или нет. Дима не сомневался, что не пройдет и пары дней, как вы объявитесь. Но спор выиграл все-таки я.

Мужчина вышел из машины и шел теперь к ней.

— На что хоть спорили? — поинтересовалась Вера.

— Да уж не помню.

Только теперь Вера вспомнила имя случайного знакомого — Борис Борисович. Он был заместителем министра. А Дезик, или Дмитрий Захарович Иноземцев, соответственно министром.

— А что вы пешком? — спросил Борис Борисович. — Сегодня такой ветер! А ведь с утра почти полный штиль.

— Мне недалеко, — ответила Вера и показала рукой. — В «Гранд-отель». Думала улететь с утра, а придется задержаться: билетов нет.

Широко улыбнулся, изображая радость и расположение, Борис Борисович проговорил:

— Ну, тогда меня вам бог послал. Своего самолета здесь у меня нет, но яхточка имеется и свободная каюта тоже найдется.

— Да я уж как-нибудь авиатранспортом доберусь.

Но чиновник уже выскочил из машины и подхватил ее под руку.

— Напрасно отказываетесь, Верочка. Вы же не видели мой кораблик! Кстати, вон он стоит...

Борис Борисович указал в направлении, в котором пару минут назад двигался его «Бентли».

— Видите. Только не этот уродец-паром, а сразу за ним. Вон она, моя яхточка. Можете, конечно, отказаться от комфортабельного путешествия, но осмотреть мое судно все же рекомендую. Три пассажирских палубы, каюты класса люкс, а главное — почти пустой корабль. Недавно прошли ходовые испытания, я его даже командой как следует не укомплектовал. Решил отправить в круиз актеров известного всей Москве театра «Тетрис», который давно спонсирую. Хельсинки — Стокгольм — Осло. Они как раз в Осло на Ибсеновском фестивале были, а теперь вот возвращаются с большим успехом. Сегодня выходим, а послезавтра с утра будем в Питере. В Хельсинки заходить не будем.

Вера задумалась. Задерживаться еще на два дня в Стокгольме ей не хотелось.

— Во сколько мне обойдется переход?

— Сплошная экономия получается, — ответил Борис Борисович. — Вы сколько за сутки в «Гранд-отеле» платите? Двести евро ведь, не меньше? Считайте сами: два дня проживания — уже четыреста, потом сто семьдесят евро стоит билет на самолет, до аэропорта еще надо добраться... Вот и считайте шесть сотен евро экономии. И возвращение вам предстояло без особого комфорта, как и здешнее проживание в отеле с громким названием. А у меня: каюта-люкс, прекрасный ресторан — и ни копейки платить не надо. К тому же гарантирую изысканное общество. Труппа популярного театра: актеры замечательные и гений-режиссер. Слышали небось про Гилберта Яновича Скаудера? Скучно не будет, я обещаю.

— Хорошо, — согласилась Вера. — Уговорили, только мне надо выселиться из отеля и забрать свои вещи.

— Никаких проблем! — улыбнулся Борис Борисович.

Он продолжал говорить и в машине рассказывал, как закончил с чиновничьей карьерой и стал владельцем шикарного круизного судна.

— Леша Курганов... Если помните, конечно... Слышали ведь наверняка? Ну, тот, который сбежал с деньгами вкладчиков своего банка: посчитал, что Англия его не выдаст. Она и не выдала, зато по запросу нашего правительства были арестованы его счета за рубежом и все недвижимое имущество — как-никак на полмиллиарда американских рублей он вкладчиков обул. А я случайно узнал, что Курганов заказал круизное судно на верфи «ДАМЕН» в Голландии. Предоплату сделал, а до конца не рассчитался. Вот я и подсуетился. За пятнадцать миллионов взял. Повезло. Это дешевле, чем стоимость внутренней отделки. Решил корабль на канарские круизы поставить. А портом приписки станет Майами...

Они остановились у главного входа в «Гранд-отель». Вера вышла, Борис Борисович остался внутри «Бентли». Когда она наклонилась закрыть дверь, он заметил ее кулон.

— Какая красота на вашей прекрасной шее! Это сапфир?

— Танзанит.

— Да вы что! Редкий камень и очень дорогой!

Глава 3

До каюты нетяжелый чемодан Веры помог донести вахтенный матрос. Отделка корабля поражала своим великолепием: никакого пластика —

на стенах ореховые панели, дорогая ткань. Бронзовые бра с хрустальными подвесками.

Матрос шел впереди, за ним Вера, а следом Борис Борисович.

— Роскошно, как в «Титанике», — оценила Вера.

— Все так, — согласился бывший заместитель министра. — Будем надеяться, что айсберга на нашем курсе нет.

Каюту ей предоставили на третьей палубе, в том же самом отсеке, где была каюта судовладельца.

Борис Борисович лично проводил ее и предупредил, что ужин будет в семь вечера, но если Вера не хочет ждать, то ей прямо сейчас или чуть позже в каюту принесут все что угодно. Вера ответила, что потерпит.

— Моя каюта в конце коридоре, — напомнил Борис Борисович. — То есть в конце прохода. Ведь так, кажется, говорят на флоте.

— Точно так, — ответил матрос, ожидающий дальнейших указаний.

— А ты свободен, любезный, — отпустил его владелец яхты.

Чемодан стоял в каюте, Вера у порога, а Борис Борисович перед ней, явно не собираясь уходить и ожидая, что она пригласит его к себе. Но Вера молчала, а он не знал, как затянуть разговор.

— По делам приезжали? — поинтересовался он.

— По делам.

— Важные?

— Более чем.

Она понимала, что владелец яхты ждет предложения войти, но сейчас ей хотелось побыть одной, потому что день, который еще не закончился, принес одни разочарования.

— Давайте чуть позже пообщаемся, — предложила она. — Я бы хотела отдохнуть.

Борис Борисович кивнул, хотел уже идти, но еще раз посмотрел на кулон.

— Замечательный камень! Я только один раз такой видел. Не такой точно, просто танзанит. Но он был меньше и зеленоватый. В Нью-Йорке на ювелирке на Элизабет-стрит за него просили сотню тысяч. Бывшая жена так его хотела. Но все. Ухожу. Не буду мешать, отдыхайте. Но не забудьте, что ужин в семь.

Каюта была просторной и роскошной. Деревянных панелей на стенах, правда, не было, зато вместо обоев интерьер украшала шелковая ткань с рисунками. Изображались эпизоды из жизни черных рабов на плантациях. Картинки были сделаны в стиле мексиканского художника Диего Риверы. Скорее всего, именно его работы и стали основой для творчества обойных дел мастеров. Еще были зеркала на стенах и на потолке, большая двухместная кровать, два кожаных кресла и телевизор на стене...

Вера заглянула в туалетную комнату, но там ее ничего не удивило — разве что большая душевая кабина с парогенератором для создания эффекта турецкой бани.

До ужина оставалось ровно три часа. В каюте сидеть не хотелось, и потому Вера решила осмотреть судно.

Она вышла из каюты, прошла до конца коридора, хотела постучать в дверь Бориса Борисовича, но в последний момент передумала. Все вокруг было тихо.

Яхта оказалась огромной. Корабль. И с набережной, когда подъехали, судно смотрелось большим, но теперь Вере казалось, что она путешествует по пустому городу — пустому и незнакомому. Где-то далеко остался Стокгольм с переполненным народом центром, проспектами, заполненными автомобилями, с узкими улочками и старыми домами. А сейчас она бродила по коридорам, вдоль тихих дверей кают, никого не встречая.

Она остановилась у стеклянных дверей, ведущих на палубу, открывался вид на узкий залив, над котором носились чайки и вздымались белые барашки волн. Выходить на ветер не хотелось.

Вера подошла к лифту, нажала на кнопку, и тут же бесшумно раздвинулись двери. Вера спустилась на один уровень, вышла из лифта и почти сразу увидела барную стойку, за которой на высоких круглых стульях сидели двое мужчин. Бармена не было. Мужчины сами разливали по стаканам виски. Один из них обернулся, при виде Веры на лице его отобразилось настоящее изумление. Мужчина встал, толкнул в бок своего товарища, тот тоже слез со стула, удивленно хлопая глазами.

— Приветствую вас, — произнес тот, кто первый заметил Веру. — Прекрасная леди появилась, чтобы составить нам компанию?

— Надеюсь, вы не сочтете нас назойливыми бездельниками, — добавил второй.

Очевидно, эти мужчины были пассажирами — актерами из труппы того самого театра, о котором упоминал Борис Борисович. Оба мужчины показались Вере знакомыми. Один — высокий брюнет лет шестидесяти иногда появлялся на телеэкране в модных телесериалах. Лицо второго также было знакомо, но где она видела этого актера, Вера вспомнить не могла. Он был очень похож на Ивана-царевича из старых еще советских фильмов, которые Вера смотрела в детстве. Только постаревшего.

— Федор Андреевич Волков, народный артист России, — представился первый. — Можете называть меня просто Федор.

— Алексей Дмитриевич Козленков, — назвал себя второй, с интересом рассматривая девушку.

— Меня зовут Вера, — улыбнулась она, присаживаясь рядом с мужчинами.

— Откуда вы, прекрасное дитя? — спросил Федор Андреевич и, не дождавшись ответа, задал еще один вопрос: — Что предпочитаете выпить перед ужином?

И опять не дав Вере ответить, предложил:

— Есть коньяк, ром, ликер...

— Я предпочту минералку, — улыбнулась Вера.

— Ну это несерьезно! — нахмурился «Иван-царевич» Козленков. — А может быть, дама предпочитает виски?

— Но наш виски закончился еще в Осло, — напомнил товарищу народный артист. И показал на бутылку, стоящую на стойке. — А вот коньячок неплохой, напрасно отказываетесь, Вера.

— Это не коньяк, — отметила Вера, глянув на бутылку. — «L'esprit du malt» — это виски, производимый во Франции в департаменте Шампань, но совсем по другой технологии — не такой, как в Ирландии или Шотландии.

— Да? — удивился Волков и посмотрел на бутылку. — А мы думали, что «Гуиллон» — это коньяк, то есть бренди, раз звездочек нет.

— Тьерри Гийон, — поправила Вера. — Этот виски называется «Дух солода». И стоит от двухсот евро за бутылку и выше.

Оба артиста замерли и растерянно переглянулись.

— Попали мы с тобой, Федя, — наконец прошептал Козленков. — Другими словами, влипли. У нас в каюте мини-бар, и нам позволено было опустошить его в разумных пределах, якобы с нас потом вычтут за лишнее, хотя, как показывает практика, лишнего алкоголя не бывает. А теперь, если узнают, что бар пуст, а у нас за душой ни гроша, наверняка выбросят за борт...

Только теперь Вера поняла, что оба актера пьяны, хотя выглядели они вполне естественно и язык у них не заплетался.

— Остается одно счастье, что на рее не повесят, а только за борт — есть надежда доплыть до берега, — криво улыбнулся Федор Андреевич. — Откуда у вас такие познания в алкогольных напитках, Верочка?

— В школе хорошо училась, — усмехнулась она.

Оба актера переглянулись и, не сговариваясь, изобразили, что бесшумно аплодируют, и одновременно произнесли:

— Браво!

После чего Волков произнес:

— Так откуда вы, Верочка? Мы видим, что вы — не театральная, и уже, грешные, решили, что вы из Министерства культуры. А вы, как я погляжу, из другого ведомства.

— Из Министерства иностранных дел? — высказал предположение Алексей Козленков. — Кто кроме дипломатов так в импортных напитках разбирается? Ведь так?

— Вроде того, — согласилась Вера.

— Хорошо, что вы не из Министерства культуры, — продолжил Федор Андреевич. — Дело даже не в том, что баба... Простите... Женщина на корабле — дурная примета, просто у нас есть уже одна женщина...

— Баба, — уточнил его приятель.

Волков кивнул.

— Именно. Она как раз из Министерства культуры. Герберова Элеонора Герберовна.

— Робертовна, — опять поправил Козленков. — Не знаете такую?

— Не слышала даже.

— Значит, вам повезло. Но эта Герберова там большой начальник. То есть начальница. Гибель Эскадры даже перед ней заискивает...

— Кто? — не поняла Вера.

— Худрук нашего театра — Гилберт Янович Скаудер. Мы промеж себя его так называем по созвучию. Гилберт Скаудер — Гибель Эскадры. А вообще была когда-то пьеса Корнейчука с таким названием. Так вот эта, с позволенья сказать, баба из министерства отправилась с нами на Ибсеновский фестиваль в Осло. Мы там «Гедду Габлер» представляли. А она выступала перед спектаклем, а потом давала интервью, говорила, что будет оказывать всякое содействие, чтобы следующий год в России стал годом великой норвежской культуры, и тогда народ России наконец примет идеи толерантности и гуманизма...

Волков остановился, посмотрел на Козленкова.

— Так ведь?

И, не дожидаясь ответа, продолжил:

— Только при чем здесь «Гедда Габлер»? Тем не менее признаюсь: успех у нас был оглушительный. Хотя в нашей постановке вместо семи ибсеновских персонажей появилось в два раза больше. Потому что мы еще «Три сестры» привезли, а там персонажей четырнадцать, включая няньку Анфису. Надо же было всех задействовать.

— Вас всего четырнадцать человек пассажиров на корабле? — удивилась Вера.

— Не знаю. Гибель Эскадры здесь. И, конечно же, Герберова Элеонора Робертовна — куда она денется? Остальные актеры здесь. Правда, не все. У Кудрявцевой, которая нянька Анфиса, в Норвегии дочка живет. И она решила у нее задержаться, а с нею еще человек пять или даже шесть. Надо будет вечерком перекличку сделать — уточнить. А у тех, что нас покинули, — у всех случайно оказались заранее оформленные шенгенские визы и билеты обратные заказанные за полгода, чтобы совсем дешево было.

— А еще на корабле Борис Борисович Софьин, — добавил Алексей. — Но он не пассажир, он — хозяин судна, а еще главный спонсор нашего модного в определенных кругах театра. Но он если и общается с кем-то, то с Гибелью Эскадры разве что. В бары не ходит, еду ему подают в каюту. Вы вообще слышали про такого человека?

— Слышала, — ответила Вера. — Это он меня сюда пригласил.

Актеры переглянулись.

— Бары и рестораны тут не работают, — перевел разговор Алексей. — Но что нам вдвоем сидеть? Бесхозная стойка барная есть — вот мы и делаем вид, будто культурно заседаем. На других палубах тоже пустые бары есть. Плохо, конечно, что без напитков, но мы со своим, как в далекие студенческие времена. У нас ведь в каюте мини-бар, и кое-что мы из дома прихватили. Пусто кругом, народу на корабле немного: команду пока еще не набрали полностью. Нет ни барменов, ни официантов, ни стюардов...

Оба мужчины вдруг поднялись и посмотрели на дверь. Вера обернулась и увидела подходящего к ним Бориса Борисовича. Оказавшись возле стойки, тот произнес:

— Здравствуйте, господа...

И поздоровался за руку с каждым из артистов. Потом улыбнулся Вере.

— Верочка, эти двое вас не замучили?

— У нас очень увлекательная беседа, — ответила она.

— Не сомневаюсь. Это достойные люди, — Борис Борисович посмотрел на стойку. — И виски они пьют достойный: восемьсот евро за бутылку.

— Так мы же рассчитаемся, — неуверенно произнес Волков.

— Успокойтесь, — еще шире улыбнулся Борис Борисович. — Считайте, что я вас угостил.

А если напиток понравился, то пришлю еще пару бутылок.

— Да нет... — смутился Алексей. — То есть понравился, но присылать ничего не надо. Нет ничего хуже, чем привыкать к хорошему. Я имею в виду привыкать к роскоши.

— Как знаете... — ответил судовладелец.

И взял под руку Веру.

— Верочка, вы ведь известный финансовый консультант, мне надо с вами посоветоваться...

Глава 4

Вера летела в эконом-классе. Когда в Шереметьево самолет оторвался от земли, сидящая рядом пожилая дама произнесла тихо, обращаясь не к ней, а в спинку впереди стоящего кресла:

— Господи, хоть бы долететь...

— Боитесь летать? — спросила Вера.

Женщина, даже не обернувшись, покачала головой:

— Не то слово.

Ее трясло от страха, она закрыла глаза и тихо плакала, а потом у нее и вовсе прихватило сердце. Вера подбежала к проводнице, та принялась искать среди пассажиров врача.

Врач нашелся, и как раз кардиолог. Пожилую женщину уложили на сиденье, а Вере из-за отсутствия свободных мест в эконом-классе предложили продолжить полет в бизнес-классе без всякой доплаты.

В бизнес-классе летели всего двое мужчин. Еще молодых и уже известных: один министр экономического развития Дмитрий Захарович Иноземцев и его зам — Борис Борисович Софьин. Они попивали виски, что-то рассказывали друг другу и громко смеялись. Через пару минут после того, как Вера Бережная оказалась их спутницей, к ней подошел Иноземцев и сказал, что она кажется ему знакомой.

— Вы в прошлом году в Майами не отдыхали? — игриво поинтересовался Иноземцев.

— Нет, — ответила Вера.

— А на Сейшелах?

— Времени не было туда завернуть.

— А кем вы работаете?

— Финансовым консультантом.

— Вы тоже в Давос на финансовый форум? — обрадовался Дмитрий Захарович. — Значит, нам по пути.

Он опустился в кресло рядом.

— Я не в Давос, в Цюрих по делам, — проговорила Вера.

— По каким?

— По служебным.

Иноземцев наклонялся к ней все ближе и ближе, пытался придать своему голосу проникновенное звучание, уверенный в своей неотразимости.

— Может, вам нужна помощь в вашем деле? — говорил он. — У меня большие возможности. Могу поспособствовать и в ваших швейцарских делах.

— Вы сможете вытащить из «Цюрихер Кантональбанка» средства, заблокированные на счету моего клиента? — усмехнулась Вера.

— Можно обсудить этот вопрос, — вкрадчиво улыбаясь, продолжал приближаться к ней Иноземцев. — За какие преступления заблокирован счет?

— Банк решил, что средства добыты незаконным путем, другими словами, вымогательством и взятками. Вы готовы позвонить прямо сейчас вице-президенту банка и договориться? Только, боюсь, после этого звонка вас в аэропорту будет встречать толпа журналистов, задающих вопросы о ваших связях с мафией.

Дмитрий Захарович рассмеялся и отодвинулся. Продолжая веселиться, он отодвигался все дальше. И внезапно спросил уже спокойно и серьезно:

— Виски выпьете с нами?

Вера отказалась. Но потом, когда из-за снегопада над Германией пришлось сесть в Мюнхене, она все же выпила с Иноземцевым и его замом немного белого вина. За четыре часа в баре аэропорта переговорили о многом, хотя Вера больше слушала бахвальства молодых чиновников. Узнала, что Дмитрия Захаровича за несколько лет до его внезапного назначения министром всесильный Березовский назвал Дезиком, и это прозвище крепко пристало к нему. Дмитрия Захаровича теперь так называли все, неизвестно нравилось ли Иноземцеву такое прозвище, но он не обижался. И вообще он показался Вере веселым и беззаботным, уверенным в своем будущем и в своих возможностях.

При расставании в аэропорту Цюриха, прощаясь, он спросил:

— Вы серьезно можете решать вопросы со швейцарскими банками, Вера?

— Вообще-то я прилетела договариваться со швейцарской прокуратурой, — ответила тогда она.

И не соврала. Вера действительно летала в тот самый банк, чтобы помочь разблокировать счета маленькой швейцарской фирмы, на которые вдруг упали пятьдесят миллионов долларов. Фирму открыл слишком самоуверенный российский коммерсант, для того чтобы закупить в Швейцарии крупную партию лекарств, убежденный, что сможет оставить свою маржу у швейцарских гномов.

— Вы можете мне пригодиться, — шепнул Дмитрий Захарович. — Я бы стал для вас хорошим клиентом.

Он достал визитку с золотым гербом и золотую авторучку «Монблан майстерштук», записал поверх российского герба номер телефона.

— Мой личный, — сказал Иноземцев. — Даже президент об этом номере ничего не знает, а следовательно, телефон не прослушивается.

Он подал визитку Вере и, воспользовавшись ее секундной расслабленностью, стремительно наклонился и поцеловал Веру в щеку.

— Я верю, что мы скоро увидимся, — шепнул Иноземцев.

Больше они не виделись.

Глава 5

Борис Борисович предложил поговорить в его каюте. Вера отказалась и добавила, что и в свою его пригласить тоже не может.

Софьин не обиделся. Как будто ожидал именно этого. Сказал, что просто хотел побеседовать, а потом провести экскурсию по кораблю.

— Начнем с экскурсии, — предложила Вера.

Путешествовали почти час, потому что было что посмотреть. Как оказалось, по заказу Бориса Борисовича на судне оборудовали зал казино, в ресторане построили эстраду для программ варьете. И Софьин сообщил, что ему удалось договориться с гаванским клубом «Тропикана», где работают самые лучшие танцовщицы, чтобы они выступали у него во время круизов по Карибскому морю. Хотя, как выяснилось, особых доходов от продажи туров на заманчивые круизы Софьин не ждет.

— Вы помните, как называется это судно? — спросил он.

— «Карибиен кап», — ответила Вера.

— «Карибский кубок», именно! — обрадовался Софьин. — У меня получилось то, на что я не мог даже рассчитывать. Конечно, я предполагал, строил планы, но сейчас все получилось. И даже больше!

— Что получилось? — не поняла Вера.

— «Карибский кубок»! Я решил на корабле проводить боксерские поединки. Собрать молодых боксеров-профессионалов стран Карибского бассейна и устроить турнир. Обратился во всемирную боксерскую организацию. Поначалу они скептически оценили предложение. Дескать, такого не может быть, чтобы за пару недель претенденты на победу в финале проводили три боя. Но потом подумали хорошенько: восемь боксеров, после первого круга остается четыре, потом — двое лучших. В первом круге бой в четыре раунда, в полуфинале — шесть, а в финале десять раундов. И спортивные чиновники дали согласие. Я нашел промоутера, который договорился с каналом «НВО», который сейчас транслирует в прямом эфире бокс по всему миру, а потом есть еще и интернет-подписчики... И уже сейчас пошла реклама, и в Латинской Америке возник большой интерес к будущему турниру. Это что-то! Я-то думал, что будут участвовать малоизвестные молодые боксеры, а мне сразу предложили уже раскрученных, не потерпевших ни одного поражения. У кого семь боев за спиной, у кого десять. И ни одного поражения! До турнира остается три месяца. Когда будет подтверждена дата, начнут принимать ставки. Даже здесь, на борту, будет открыта своя букмекерская контора... А еще всемирно известное варьете с лучшими танцовщицами мулатками. И конечно, экипаж судна надо подбирать очень тщательно, весь персонал должен быть вышколен, чтобы девочки-официантки или стюардессы выглядели как на картинках в глянцевых журналах.

— Зачем вы мне все это рассказываете? — прервала его Вера.

— А к тому, что на моем судне полторы сотни кают, в основном двухместные. Место во время обычного Карибского круиза на таком корабле стоит около десяти тысяч, есть, разумеется, отдельные предложения. А во время боксерского турнира место будет по пятьдесят тысяч, кроме того, ВИП-каюты значительно дороже. А если учесть, что боксерские турниры пользуются особым вниманием со стороны, не говорю, что арабских шейхов, но просто миллиардеров, для которых заплатить миллиончик-другой...

— Я поняла, — не дала ему договорить Вера. — Прибыль будет немаленькая, а потом еще сборы от трансляций, от интернет-подписчиков, от размещенной в зале рекламы...

— Именно! — воскликнул Софьин. — Как вы все понимаете!

— А зачем вы театр пригласили?

— С чего-то надо начинать. Надо было обжить немного судно. Чего ему пустым ходить? А они как раз в Норвегию собирались. Для меня расходов практически никаких, а им радость и опять же бесплатное удовольствие.

— Зачем же вы тогда выговор этим двум артистам сделали?

— И в мыслях не было! Хотите, я как-нибудь сглажу...

— Да я не в этом смысле, — отмахнулась Вера. — Просто вы взаперти сидите в своей шикарной каюте, а для них за пустой стойкой посидеть с бутылкой, которую они взяли из мини-бара в каюте, уже праздник. Вас увидели и растерялись.

— Хорошо, я услышал вас, — кивнул Борис Борисович. — Я буду за ужином вместе со всеми. Потом можно еще что-нибудь придумать. В полночь отходим от причала. Знаете, как актеры умеют веселиться: капустники, импровизации, розыгрыши! Я думаю, скучно никому не будет.

Они шли по коридору, вдоль кают, навстречу из-за угла выскочила девушка. Увидев хозяина яхты, она попыталась развернуться и шмыгнуть за угол, но ее уже увидели, и потому девушка просто прижалась к стене, а когда Софьин и его гостья поравнялись с ней, прошептала:

— Добрый день, Борис Борисович, — и бросила любопытный взгляд на Веру.

— Привет, — ответил Софьин, не задерживаясь.

Но потом, уже пройдя мимо, обернулся и сказал:

— Таня, передайте всем, что я буду сегодня ужинать с остальными гостями. Я и Вера... — Он посмотрел на Бережную, ожидая подсказки.

— Вера Николаевна, — улыбнулась девушке Вера.

— Так вот, — продолжил Борис Борисович, — сделайте так, чтобы никому сегодня скучно не было.

— Я поняла, — кивнула девушка.

— Тоже актриса? — спросила Вера, когда они отошли..

Борис Борисович кивнул.

— Двоих я уже видела. Федор Андреевич...

— Волков, — назвал фамилию актера олигарх. — Второй — Алексей Козленков. Козленков начинал лет тридцать назад. Снимался в фильмах-сказках для детей. Знаете, он был такой тоненький, светловолосый, кудрявый. Типичный Иванушка-дурачок или Иван-царевич, но потом молодые годы прошли, и типаж стал не тот.

— Я его вспомнила, видела фильмы с его участием в детстве.

— А Волков как начинал, не знаю, но сейчас он достаточно востребован. В кино приглашают. Но Федор остается в театре, вероятно, не желая расставаться со своим другом Козленковым и с еще одним приятелем — Борисом Ручьевым, который служит в театре вторым режиссером. А ведь именно Ручьев открыл этот театр... Правда, тогда он был частным театром и назывался «Ручеек». Но дело, как это случается, не выгорело. Прогорел театр. Пошел под государственную крышу, но финансирования все равно должного не получил. А тогда появился я. Помогаю чем могу. А Волков, Ручьев и Козленков дружат с давних пор, хотя и ссорятся постоянно. Однажды Козленков едва не зарезал Волкова. Вовремя удержали. А обиделся из-за ерунды — из-за эпиграммы. Волков ведь этим балуется и достаточно зло сочиняет на каждого...

— Что же такого можно сочинить в стихах, чтобы человек готов был убить автора? — удивилась Вера.

— Да ничего особенного. Хотите, прочитаю? — предложил Софьин.

— Если вас не затруднит.

— Тогда слушайте, — усмехнулся Борис Борисович:

Козленков как-то раз пошел к Ручью напиться,
Нажрался и пошел домой пешком,
а там на час езды.

Устал... Решил в подъезде помочиться,
Где Волков жил, и получил... внушенье.
Всем объявляю Соломоново решенье:
Пусть знает всяк, кто хочет хватануть
чужого виски,
От Волкова получит и по жопе, и по письке...

— Ну да, действительно зло, — нахмурилась Вера. — И неужели он ко всем так относится? Вот что, например, можно написать про эту девушку, которую мы только что встретили? Она такая тихая и скромная.

— Не знаете, что можно про Таню написать? Тогда позвольте прочитать эпиграмму и на нее.

Хорошавина Татьяна
Спит в сапожках из сафьяна,
Чтоб не стибрили враги:
Так сапожки дороги.

Ну а раньше у нее
Театральное жулье
Скоммуниздило белье...

Одеяло убежало,
Улетела простыня
И подушка как лягушка
Ускакала от нея.

И счастливая такая
В сапогах, хотя нагая,
Таня спит без памяти.
Ангелочек, мать ети.

Софьин выпалил все это на одном дыхании и посмотрел на собеседницу.

— Как вам такие вирши?

— Ужасно! Зачем он так?

— Характер такой, — пожал плечами Борис Борисович. — Волков — талантливый человек. Всех уверяет, что он потомок основателя первого русского театра — актера Федора Григорьевича Волкова. Многие, как говорится, верят. Но я решил навести справки. Подтверждений этому не нашел. Его отец, Андрей Иванович, был актером какого-то провинциального театра и умер — точнее, замерз. Возвращался домой зимней ночью, прихватило сердце, упал и замерз. Вероятно, пьяным был. Наш Федя Волков тогда еще в школе учился. Большую часть своей жизни он шел по стопам родителя. Но потом его пригласили в кино, и пошло-поехало. Но это уже сравнительно недавно было. Но живет он по сравнению с другими собратьями по театру относительно неплохо в финансовом смысле.

— А вы его на сцене видели? — спросила Вера.

— Естественно. Я был на их спектакле в Осло. Честно признаюсь, понравилась постановка. Но там весь зал с ума сходил. Не удивлюсь, что в скором времени отправится театр «Тетрис» по европейским городам и весям с гастролями. Удивят своей постановкой «Гедды Габлер» весь мир.

— Я, к стыду своему, не знаю спектакля, о котором вы говорите, — призналась Вера.

— Разве? — удивился Софьин. — Это пьеса Ибсена о молодой девушке, которая всех ненавидит. Не то что ненавидит, но ей противно всякое прикосновение мужа, она ненавидит окружающих женщин, она хочет быть другой — женщиной, которая ни в чем не уступает мужчинам. Она хочет быть такой же, как и ее умерший отец-генерал. Потом она кончает жизнь самоубийством, узнав, что беременна.

— Ужасная пьеса!

— Великая. Но от нее все устали давно. Феминизм уже не такая острая тема, как сто с лишним лет назад... Но Гилберт Янович так поставил спектакль, что скоро будут его самого приглашать во все крупнейшие театры мира, чтобы он и для них поставил нечто подобное. Представьте такую сцену, которую он придумал и которой у Ибсена вроде как нет, да и быть не могло... Ночь. На столе подсвечник с догорающей свечой. Гедда лежит в постели с мужем. Он прикасается к ней — она его отталкивает, но муж настаивает и делает свое дело чуть ли не силой. В комнате темно, Гедда с отвращением отдается и смотрит перед собой... И вдруг в темноте неожиданно вспыхивает на пару секунд круг света, а в нем обнаженный молодой мужчина. Гедда начинает искать его в темноте глазами, и то тут, то там вспыхивает на секунду круг света: и там и сям появляется голый мужчина, потом другой... И вдруг Гедда начинает испытывать... И кричит...

— То есть появляются актеры? Абсолютно голые? — не поверила Вера.

— Абсолютно. Скаудер ввел в спектакль еще одного персонажа, которого нет у Ибсена, — генерала Габлера. Он потом тоже появляется из темноты...

— Голый?

— Не совсем. Волков, а он играет роль генерала, наотрез отказался раздеваться полностью. Генерал Габлер появляется в солдатских кальсонах и с саблей на боку. И Гедда понимает сразу, кого она хочет на самом деле.

— Странная постановка. Я бы старалась не смотреть на сцену, раз там голые мужчины.

— А на кого еще смотреть? — усмехнулся Борис Борисович. — Там, кстати, еще и голые девушки появляются, как видения героини, но она к ним испытывает отвращение... Однако в зале овации были такие, что... Представьте норвежцев, этих суровых потомков викингов, так они завалили всю сцену цветами. Короче говоря, Скаудер — большой талант.

— Я слышала, что они еще и другой спектакль возили.

— Ну да. «Три сестры». Но и там Гилберт Янович превзошел в своих фантазиях Чехова. Кстати, «Три сестры» — это программная постановка Скаудера. Он же был приглашен в театр «Ручеек» для постановки именно этой пьесы, после чего на него обратили внимание и предложили возглавить распадающийся коллектив. Так он стал художественным руководителем. И назвал теперь уже свой театр — «Тетрис». Что на самом деле не что иное, как аббревиатура «Театр Три Сестры». Они даже перед театром поставили бронзовое изваяние трех сестер-муз: муза трагедии Мельпомена, муза комедии Талия и муза танцев Терпсихора. Я профинансировал и создание памятника, и установку. Правда, потом памятник перенесли в фойе театра, потому что местные жители стали жаловаться, дескать, дети это видят. Изображены музы не то что без одежды, но и в не очень приличных позах. Теперь эти бронзовые музы стоят при входе, и у зрителей сложилось поверье, что необходимо потереть их, и тогда сбудутся все желанья.

— А потому, как я предполагаю, некоторые места скульптур, которые живым людям не следует выставлять напоказ, блестят ярче, чем все остальные, — предположила с усмешкой Вера.

— Именно так. То есть зритель сам выбирает, что ему нравится более всего, — заключил Борис Борисович, засмеялся и продолжил: — Правда, теперь театру предстоит в суде оправдываться. На театр, а заодно на автора этого замечательного памятника подали в суд сразу три девушки, якобы опознавшие в музах себя: одна — телеведущая, увлекающаяся политикой, другая — тоже что-то ведет, а заодно поет под фанеру, а третья — бывшая балерина с не очень хорошей репутацией. Об этом в самом конце театрального сезона сообщили все СМИ, а потому в театре каждый вечер был полный аншлаг, перекупщики продавали билеты по сумасшедшей цене, а изваянья засияли сильнее, чем прежде.

— Это все Гибель Эскадры придумал?

— О-о! Вы даже и это знаете! — удивился олигарх. — Прозвище, между прочим, все тот же Волков ему прикрепил. Ну, да Гилберт Янович почти что сам выдумал этот маркетинговый ход. Один умный человек, не будем показывать пальцами, подсказал, конечно. Но суд по защите чести и достоинства трех раскрученных зомбоящиком муз только через четыре месяца, а за это время сумма предъявленного иска будет отбита несколько раз, да и в то, что суд присудит этим дамам какую-нибудь компенсацию, я не верю. В очередной раз они, мягко говоря, опростоволосятся.

Они шли по коридору вдоль кают. Возле одной из дверей Борис Борисович остановился и предложил:

— Хотите, познакомлю с театральным гением?

— Неудобно как-то, — замялась Вера.

— Неудобно будет, когда через год он станет мировой звездой и забудет, кто ему помог на небосклон вскарабкаться. К нему надо будет для встречи за год вперед записываться. А пока... — Софьин постучал в дверь и громко произнес: — Гилберт Янович, ты один?

И, не дожидаясь ответа, вошел.

Каюта была точно такая же, как и у Веры, только обои на стене с другим рисунком — с пиратами.

Гибель Эскадры был не один. Рядом с ним за столом сидел длинноволосый молодой человек с грустным лицом. Когда они увидели входящих, поднялись.

Молодой человек оказался высокого роста, хотя это могло показаться, когда он стоял рядом с режиссером, который если и был выше Веры, то ненамного.

— Стас, вы можете идти, — отпустил Скаудер своего визави.

— С вашего позволенья, Борис Борисович, — произнес молодой человек, чуть склонив голову, словно раскланивался на сцене после окончания спектакля.

— Иди уж, — махнул в нетерпении Софьин.

Молодой человек еще не успел закрыть за собой дверь, как Борис Борисович почти удивленно произнес:

— Какой он у тебя воспитанный!

А когда дверь осторожно затворилась, спросил:

— Холмский опять к тебе заходил, чтобы настучать на кого-то?

— Почему опять и почему обязательно настучать? — интеллигентно и мягко возмутился Гибель Эскадры. — Он пришел, чтобы обсудить сегодняшнюю...

Но Софьин не слушал, он обернулся к Вере и хохотнул:

— Эпиграмму на Станислава Холмского я, кажется, еще не рассказывал вам.

Вера покачала головой, а Гилберт Янович отвернулся и возмущенно вздохнул, не рискуя возразить спонсору. И вдруг словно очнулся, посмотрел на Веру, всплеснул руками:

— А что вы стоите? Присаживайтесь, пожалуйста. Борис Борисович и так тут как дома. Хочет сидит, а хочет стоя, дурацкие эпиграммы вспоминает.

Гостья опустилась за стол, потом в кресле развалился Софьин, а затем только на свое место вернулся Скаудер, очевидно, рассчитывая, что олигарх не будет читать эпиграмму. Но просчитался.

— Опять же плод творчества нашего уважаемого народного артиста Волкова, — продолжил тему Борис Борисович и продекламировал:

С помощью небес наш Холмский
Принят был в театр Омский.
Там он стал для всех примером,
Только предал небеса,
Совершая грех содомский
С мэром-коррупционером
По фамильи Ковбаса.

Борис Борисович закончил, посмотрел на побледневшего сердитого Скаудера и усмехнулся.

— Начнем с того, что это чистая ложь, — начал Гибель Эскадры. — То есть я неправильно выразился, чистой бывает только правда, а это грязные инсинуации старого гомофоба. Начнем с того, что Стасик никогда не служил в Омском театре, потом...

— Так и Ковбаса никогда не был мэром, он был вице-губернатором, и не в Омске, разумеется, а совсем в другом регионе, — перебил Софьин. — Но часики-то были...

— Я все объясню!

— Не надо ничего объяснять. — Софьин обратил свой взгляд на Веру. — Холмский, служа в своем первом театре, вдруг стал появляться на репетициях в золотых часах и на вопросы коллег отвечал, что это ему поклонники подарили. Потом в доме вице-губернатора был произведен обыск, во время которого, помимо крупных сумм денег, в национальной и иностранных валютах, помимо коллекции картин и костюмов модных брендов, была обнаружена свалка дорогих часов. Документы и товарные чеки на часы имелись, хронометры были приняты по описи, но одних часов, а именно золотого «Ролекса» стоимостью тридцать семь тысяч евро, не хватало. Вице-губернатор Ковбаса объяснил, что подарил «Ролекс» молодому артисту местного театра Станиславу Холмскому в знак восхищения его талантом. Так что Стасику пришлось вернуть часики в казну, а самому уволиться и отправиться искать счастье в столицу, где он познакомился с известным режиссером...

— Все было не так! — воскликнул Скаудер. — Я же сказал, что это все грязные...

— Проехали, — не дал ему договорить Борис Борисович. — Ты не сказал, на кого Стасик тебе в очередной раз стучать приходил.

— Я ответил: мы обсуждали программу сегодняшнего мероприятия. Мы всей труппой решили поужинать в семь, закончить быстренько, переодеться, подгримироваться, потом последний прогон и где-нибудь к половине девятого можете прийти вы вместе со своей прекрасной спутницей...

— Спасибо, что разрешил нам поужинать сегодня, — усмехнулся Софьин. — И запомни на будущее: ты видишь перед собой не только мою прекрасную спутницу, но и известного финансового консультанта и экономиста Веру Николаевну Бережную. Она мой старый друг.

— Какая же она старая? — расцвел в улыбке Скаудер. — Вера Николаевна — молода и прекрасна. Я грешным делом даже подумал... Впрочем, это не важно, что мне пришло на ум. Хотя, честно признаюсь, я даже подумал, а не предложить ли ей роль в моей новой постановке.

— Я бы отказалась, — покачала головой Вера. — Не люблю раздеваться на публике.

— Жаль, — вздохнул Гибель Эскадры. — От великой славы отказываетесь.

Он театрально развел руками, сделал грустное лицо, вздохнул и тут же, вскинув голову, заразительно рассмеялся.

— Это была шутка, господа. Неужели бы я мог позволить себе предложить такой изысканной даме нечто, порочащее ее?

— Действительно смешно, — согласился Софьин без всякой улыбки. — Кстати, почему у тебя Танечка Хорошавина такая грустная ходит?

— А я-то тут при чем? — вскинул брови и плечи Гилберт Янович. — Она должна быть счастливой. Я недавно всей труппе объявил, что в будущем сезоне у нас две премьеры: «Зори» Верхарна и «Двенадцатая ночь» Шекспира.

— «Зори» — это про что? — спросила Вера.

— Про нашу жизнь, про недовольство народных масс существующим положением, о том, как народ свергает тирана, — охотно объяснил молодой режиссер. — Но я раскрою тему поновому. Не про парижскую коммуну, а про то, что происходит за окном: толпы мигрантов, толпы протестующих подростков и офисных хомячков... Будут звучать стихи и рушиться Останкинская башня.

— С башней ты поосторожней! — погрозил пальцем Борис Борисович.

— Башня — это образ, — поморщился Гибель Эскадры. — Собирательной образ всей пропаганды, которая одурманивает массы.

— И с мигрантами поосторожней. На сцену их выводить опасно.

— Да я и не собираюсь! Вон сколько студентов в театральных вузах. Только кликну, они что угодно изобразят на сцене — хоть предновогоднюю ночь на площади у железнодорожного вокзала в Кёльне. А Танечка у меня будет в «Двенадцатой ночи» Виолу играть. По идее она должна играть и своего брата-близнеца, но в моей постановке ее брата-близнеца будет изображать Стасик Холмский.

— Они разве похожи? — удивилась Вера.

— А это не важно. У меня вообще Танечка будет играть не Виолу, а Себастьяна, а Стасик, наоборот, Виолу. И все женские роли будут исполнять мужчины, а мужские — женщины. Волкову достанется роль Марии — фрейлины Оливии, а Кудрявцевой достанется Мальволио. Хотя...

Он замолчал и задумался.

— Разве можно так обращаться с известной всем пьесой? — удивилась Вера.

— Какой пьесой? — удивился Гибель Эскадры. — Кто ее знает хорошо? Никто и не помнит даже настоящее название! А Шекспир назвал свое великое произведение «Двенадцатая ночь, или Что угодно». Вот мы что угодно с ним и сделаем. Пусть только попробует кто бросить в меня камень! Но не это меня волнует сейчас...

Он вздохнул и посмотрел в окно, ветер гнал

по небу серые вечереющие облака и трепал суетливых чаек.

— Я думаю, что мне делать сейчас с Кудрявцевой? И со всей этой шайкой-лейкой.

Он вздохнул еще раз, словно решаясь на что-то неприятное, но неотвратимое. После чего продолжил, как бы размышляя с самим собой:

— Дело в том... — Скаудер замолчал и вдруг встрепенулся. — В советские времена существовала такая шутка: знаете, что такое Малый театр? Это Большой после зарубежных гастролей.

— Ну! — нахмурился Софьин.

— А что «ну»? У нас случилось нечто подобное? Из гастролей мы возвращаемся в неполном составе. Именно Кудрявцева уговорила некоторых участников остаться в свободном мире, где у нее проживает дочь. Когда они вернутся, мне доподлинно неизвестно. А ведь скоро начнется подготовка к новому сезону, подготовка к новым премьерам, о которых я упомянул в нашем разговоре. Предположим, невозвращенцы вернутся. А чем они занимались там, то есть здесь, где мы пока находимся? А я вам отвечу! Кудрявцева договорилась со своей дочерью, а та договорилась с русской диаспорой в Норвегии о том, что труппа российских артистов даст несколько спектаклей. Спектаклей будет ровно тридцать — в Осло и в Тронхейме. Местные театры предложили подлым отщепенцам свои площадки, билеты все проданы. А что покажет Кудрявцева и компания? «Три сестры»? Или мою Гедду? Ведь, как всем известно, декорации к этим двум спектаклем прибыли в Норвегию отдельно — в грузовой фуре. Прибыли вместе с двумя рабочими сцены, которые теперь тоже участвуют в сговоре и будут таскать мои декорации туда-сюда без моего ведома и согласия. Мне известно, что за каждый спектакль каждый отщепенец планирует получить по триста евро, остальное захапает Кудрявцева со своей дочерью, разумеется. И что же в итоге? Каждый отщепенец отхватит по девять тысяч евро за месяц, а я, отец всего... Я, творец всего светлого и радужного, останусь гол как сокол...

— Насчет всего радужного это ты в самую точку попал, — согласился Софьин.

— Ну ведь правда, — грустно вздохнул Гилберт Янович. — Ведь постановка, которую украла Кудрявцева, это моя интеллектуальная собственность!

Он посмотрел почему-то на Веру.

— Ваша, — согласилась Вера. — Это я вам как человек с юридическим образованием могу подтвердить. Но вы же не будете из-за этого разгонять труппу?

— А что я должен делать? Терпеть плевки, унижения? Так, по-вашему? Простите. А потом, я погоню из труппы поганой метлой не всех, а только предателей, сепаратистов, в худшем значении этого слова. Я бы и Волкова выгнал: Боря Ручьев возьмет его роли. А что? Борис Адамыч —

прекрасный актер, только никто об этом не знает. А Волкова надо гнать, потому что он разлагающе действует на коллектив. Он меня зарезал, ведь не сомневаюсь, что это именно он подбил Кудрявцеву на преступление. Вы вообще знаете, что Волков с Кудрявцевой сокурсники и сорок лет назад между ними был роман, который, к счастью для обоих, а для меня в первую очередь, ни во что не вылился? А то представляете, как бы сплотилась эта банда, будь она скреплена брачными узами! Но Волков сегодня зарезал меня, а завтра я его. Уж будьте уверены!

Борис Борисович вдруг резко поднялся.

— Мы с Верой Николаевной пойдем. А ты постарайся не зарезать театр. Очень тебя прошу. Мне кажется, что в последнее время ты только этим и занимаешься. Я давно хочу поговорить с тобой на эту тему. Но пока не буду, вот вернемся и встретимся обязательно, побеседуем. Ты понял?

— Конечно, поговорим, только я не знаю...

— А ты узнай!

Софьин проводил Веру до ее каюты и, расставаясь, сказал, что неплохо бы ей познакомиться еще и с капитаном, но тот, вероятнее всего, сейчас отдыхает, чтобы быть бодрым в момент отчаливания. Ведь когда судно будет входить в родную гавань, он должен быть на высоте. В этот раз Борис Борисович в гости не набивался, но при расставании, пытаясь казаться воспитанным и учтивым, руку Вере все-таки поцеловал.

Закрыв за ним дверь, Вера задумалась. Она всегда знала, что в театре бурлят страсти, но на сцене, а чтобы вот так... Страсти нешуточные, если судить по состоянию художественного руководителя.

Она взяла телефон и позвонила Окуневу, своему помощнику и техническому гению.

— Как дела, Егорыч?

— Нормально. С утра вирус по Сети бегает, но это конкретная атака на конкретный объект. Целый день не фурычат банкоматы одного отечественного кредитно-финансового учреждения: не только в нашем городе, но и по всей стране. Я бы им все поправил, но, насколько помню, от договора с нами они в свое время отказались, так что пусть теперь мучаются, хотя там делов-то на полчаса мне было бы. Обидно только, что из-за глупых начальников страдают простые люди. Такие проценты по кредитам навязывают, а потом... А вы, как я вижу на мониторе своего компа, находитесь в городе Стокгольме, на точке с названием... А, это паромный причал, а называется он «Морская калитка». Или, может быть, «Морские ворота». У меня не очень хороший автоматический переводчик со шведского. Что вы там на причале делаете, Вера Николаевна?

— Я на борту круизного судна «Карибиен

кап», через шесть часов отправляюсь домой. Буду на месте послезавтра утром.

— Сейчас проверю. — Егорыч на некоторое время замолчал, а потом возвестил: — А у меня в базе нет такого судна, вы ничего не путаете?

— Все нормально, корабль настоящий. У меня просьба к тебе: узнай как можно больше о Борисе Борисовиче Софьине. Какой у него бизнес, доходы, кредиты, долги...

— Быстро не получится. Придется порыться, но я помню такого чиновника. Был замом в каком-то министерстве. Через полчаса постараюсь сбросить информацию. Кстати, он тоже в Стокгольме. Может, конечно, уже уехал, просто я к тому, что господин Софьин через фирму «Карс-сканнер» на два дня брал в аренду автомобиль «Бентли-Мульсан» с водителем. Вот пока что я на него нарыл.

До ужина и обещанной развлекательной программы оставалось почти полтора часа.

Глава 6

Вера успела сделать прическу и переодеться. За пять минут до ужина Борис Борисович Софьин постучал в ее дверь. Увидев ее на пороге, восхитился.

— Вы, Вера Николаевна, совершили невозможное! Стали еще прекрасней.

Взгляд его остановился на новом кулоне.

— Ах, как переливается этот камень! При электрическом свете он почти синий, васильковый даже — как самые дорогие сапфиры. Кстати, я сейчас потратил время и поползал по Интернету. Не хочу вас расстраивать, но цены на танзанит в последнее время упали, хотя запасы в единственном месторождении этого камня на горе Килиманджаро практически истощены. Сейчас карат танзанита в мелких изделиях стоит сто долларов, хотя такой, как ваш, — исключительный по цвету и размерам может стоить значительно дороже. Но такие продаются только на аукционах, а там какой-нибудь любитель может дать за него и сто тысяч. Но сами понимаете, как можно верить Интернету.

— Я не собираюсь продавать кулон, — ответила Вера.

Несколько минут назад Егорыч прислал ей сообщение, из текста которого следовало, что Софьин является совладельцем нескольких крупных предприятий, в которых контрольный пакет акций принадлежит его бывшему начальнику Дмитрию Захаровичу Иноземцеву. Собственные фирмы у Бориса Борисовича тоже имеются, но они не такие крупные и особого дохода не приносят. Но именно эти мелкие предприятия взяли несколько кредитов, которые, судя по оборотам и прибыли, выплатить вряд ли смогут. Основной доход Софьину приносят спекулятивные операции по перепродаже объектов, заложенных банкам или продаваемых разорившимися фирмами. Но он еще и меценат: несколько лет назад приобрел почти достроенное здание кинотеатра — за гроши, разумеется, изменил планировку, надстроил еще один этаж и открыл там театр. Вернее, театр открылся сам, получив от Бориса Борисовича в аренду прекрасное здание. Софьин хотя и получает арендную плату, но ежегодно подпитывает театр «Тетрис» финансами.

Личное состояние олигарха, по сообщению Егорыча, около пятидесяти миллионов долларов, ему принадлежат квартира в Москве, загородный дом в Подмосковье, дом во Флориде, дом возле Дубровника в Хорватии и квартира в Париже. Был женат. Но после развода не поддерживает отношений ни с бывшей женой, ни с дочерью. Обе живут в Париже на бульваре Распай в той самой принадлежащей Софьину квартире.

Они спустились в ресторанный зал с эстрадой, выстроенной для варьете «Тропикана». Звучала негромкая латиноамериканская музыка, и единственная пара танцевала что-то наподобие румбы. Однако, когда молодые артисты увидели входящих, тут же перестали танцевать.

— Напрасно, — обратился к ним Софьин. — У вас неплохо получается.

Он покрутил головой в поисках места, куда можно приткнуться. Но тут же подошла девушка в переднике официантки, повела их за отдельный стол, который был уже сервирован. В зале было еще несколько человек, наверняка артисты, Вера заметила, что выглядят они растерянными и встревоженными. Все, включая ту самую пару, которая тем не менее танцевала под веселую кубинскую музыку.

К Софьину подскочил Скаудер, он извинился за то, что все так невпопад получается.

— А что случилось? — спросил Борис Борисович.

— Ничего особенного, просто накладочка небольшая.

— А почему у всех такие постные рожи?

Скаудер подошел почти вплотную, как будто пытался собой закрыть все пространство зала.

— Уверяю вас, обычный творческий процесс, — нарочито бодро проговорил он.

Борис Борисович отстранил его и махнул рукой, подзывая молодого артиста.

— Холмский! Стасик, ты здесь самый информированный. Подойди-ка быстро и честно расскажи, что случилось.

Молодой человек подскочил, красиво уложенные и закрепленные лаком волосы подпрыгивали на его плечах и на спине.

— Ну! — потребовал олигарх.

— Я прямо не знаю... — начал Холмский и обернулся на Скаудера.

— А криво ты знаешь? — нахмурился Софьин. — Все равно все прояснится, только ты в моем представлении останешься вруном.

— Если честно, то обычное дело. Волков с Козленковым опять поссорились, чуть не подрались. Потом Федор Андреевич ушел. А Алексей Дмитриевич схватил нож и ринулся за ним, обещая догнать и убить.

— Какой еще нож? — не понял Софьин.

— Охотничий, — объяснил Холмский. — Он этот нож в Осло купил. Прямо при мне. Я еще спросил, зачем вы ножик-то покупаете, ведь он такой страшный. А он ответил, что в хозяйстве и пулемет пригодится. Вот.

— Они оба пьяные?

— Даже очень. Давно такого не бывало. Чуть не падали оба. А когда их стыдить начали, они — в крик. Сначала на нас орали, а потом друг на друга, слово за слово, принялись выяснять, кто из них гениальнее. Потом Волкова мы выставили, а Козленков сам ушел. Но с ножом. Гилберт Янович переживает за представление.

— А без них вы никак? — хмуро спросил Борис Борисович. — То есть без них у вас ничего не получится?

— Ну как же? Все у нас получится! — тряхнул головой Холмский. — Даже еще лучше.

— Мы начнем сейчас без них, — вмешался Гибель Эскадры. — Потом примем административное решение, что с ними делать, раз они весь творческий коллектив подставили. А пока Танечка вам сейчас еду и закуски принесет. И шампанское, что вы велели.

Тут же появилась Таня Хорошавина с подносом.

Вера оглядела зал: помимо уже знакомых ей Холмского, Скаудера и Тани, теперь подающей закуски, здесь присутствовали еще одна молодая актриса — та самая, что танцевала румбу, ее партнер по танцу, парочка молодых изящных парней и один крепкий парень, мало похожий на артиста. Кроме того, за одним из столиков сидел немолодой мужчина с печальным лицом. Вероятно, это был Борис Адамович Ручьев — приятель Волкова и Козленкова, бывший режиссер театра «Ручеек». Очевидно, ссора друзей сильно огорчила его.

Холмский поднес ведерко со льдом, из которого торчали два горлышка шампанского.

— А почему так мало? — удивился Софьин. — Разве артисты не заслужили по бокальчику.

— Так мы вовсе не пьем, ни капельки, — объяснил молодой человек и обернулся в сторону Гилберта Яновича. — Не знаю только, что это на Федора Андреевича с Козленковым нашло!

— Но мы с ними разберемся, — заверил спонсора Гибель Эскадры.

И тут же решил самолично откупорить одну из бутылок, взял ее в руки.

В этот самый момент в зал с воплем ворвался Козленков. Пиджака на нем не было, распахнутая белая рубашка в каких-то пятнах сбоку вылезла из-под ремня.

Он рухнул на колени и закричал:

— Хватайте меня! Вяжите! Казните за преступление! Я убил его!

И швырнул на пол большой охотничий нож. Нож покатился и остановился около стола, едва не ударившись в ноги Скаудера. В огромном зале повисло молчание.

— Кого ты убил? — тихо спросил Гилберт Янович.

— Друга своего лучшего! Федьку Волкова я зарезал!

— Ах! — вскрикнула Танечка Хорошавина и выронила на пол пустой поднос.

Холмский на всякий случай отскочил подальше.

А Козленков снова закричал:

— Вяжите меня! Хватайте! Нет мне прощения! — Он согнулся пополам и ударил лбом об пол. — Нет прощения мне! Ни перед людьми, ни перед богом! Я же дружбу свою собственной рукой... Ножом прямо в сердце!

Первым пришел в себя Борис Адамович Ручьев, он бросился к распластавшемуся на полу Козленкову.

— Леша, что ты говоришь такое?! За что ты его?

— А чего он меня бездарем называет! — всхлипнул Козленков. — А еще Иванушкой-дурачком на пенсии обозвал. Ты бы стал такое терпеть?

Козленков, опираясь на руку Бориса Адамовича, выпрямился и повторил:

— Ты бы вынес такое? А ведь он и про тебя сочинял! Забыл, как он тебя унизил? Такое тоже не прощается! — И он начал декламировать:

Журчит в канаве придорожный...
Я думал, там ручей бежит,
А глянул сам: нет, невозможно –
Борис Адамыч там лежит.

Прочитав эпиграмму с выражением, Козленков, казалось, успокоился. Он выдохнул и произнес негромко:

— Ну ладно, жизнь моя кончилась. Но ведь я за всех за вас, ребята, отомстил! За вас, невинные вы мои братья и сестры! Я даже за уважаемого Гилберта Яновича отомстил! Этот гад, мой лучший друг, покойный ныне, ведь и на него пасквиль состряпал. Ведь помните, как вы все хохотали в своих гримерках!

Эскалра дала теперь деру,
На запад уходит во тьму.
Но я все равно Скаудеру
Торпеду пущу под корму.

На западе геи застонут,
И Стасик в гримерке всплакнет...
Жаль, наши какашки не тонут,
И Гилберт как прежде всплывет.

— Он с ума сошел! — прошептал Гилберт Янович. — Может, пока не вышли в море, вызвать полицию местную или местную психушку?

— Тихо! — закричал Козленков. — Неплохо я ведь сказал про покойного друга?

Мой лучший друг покойный ныне,
Лежит теперь на дне и в тине...

Он расхохотался:

— А! Все слышали, как я умею? Не то что ваш обожаемый Волков! Вот кто здесь настоящий поэт! Это вам не торпеды пускать в Гибеля Эскадры! Это посильнее «Фауста» Гёте будет!

Вера молчала, сидела пораженная. Поначалу она решила, что это розыгрыш, но, посмотрев на лица актеров, поняла: все это всерьез. Все словно боялись шевельнуться. Борис Борисович и вовсе был бледен, как полотно, и пребывал в глубоком шоке. Вера поднялась и подошла к Борису Адамовичу Ручьеву, который, опустившись на колени, прижимал к себе голову притихшего на мгновенье Козленкова, словно изображая сцену с картины Репина, на которой Иван Грозный убил своего сына. Подошла, наклонилась, посмотрела в лицо актера, сознавшегося в убийстве друга. Он застенчиво улыбнулся.

— Какой сегодня день недели? — спросила Вера.

— Восемнадцатое, — уверенно проговорил Козленков.

— А как вас зовут?

— Заслуженный артист России Иван-царевич.

— Где вы убили Волкова?

— Я его зарезал, — уточнил Козленков. — Зарезал, потом вытащил через задний проход и сбросил в воду.

— Он сошел с ума, — прошептал Скаудер. — Вы слышали, что он сказал?

— В заднем проходе, — радостно улыбнулся убийца.

— Он имеет в виду коридор, ведущий к выходу, на корме, — объяснила Вера.

Все стояли молча и никто не шелохнулся.

— Пойдемте со мной кто-нибудь, — попросила Вера. — Проверим показания.

И опять никто не тронулся с места.

— Надо капитана вызвать, — предложил крепкий молодой актер, имени которого Вера еще не знала.

— Я сам пойду, — поднялся из-за стола Софьин.

И тут же вызвались пойти и Гилберт Янович, и тот самый молодой актер, и Татьяна Хорошавина.

— Вы-то останьтесь, — сказала ей Вера. — Помогите Ручьеву и остальным отвести Алексея Дмитриевича в каюту. Я думаю, что он чутко отреагирует на вашу ласку.

Глава 7

Место, где произошло убийство, нашли сразу. Низ стены над самым полом был забрызган красными пятнами, увидев которые Холмский отшатнулся, схватился за горло, а потом прошептал:

— Господа, мне плохо!

Гилберт Янович тоже остановился, его лицо побледнело.

Вера осмотрела пятна и показала оставшемуся рядом с ней Софьину на пол.

— Явные следы волочения. Такое ощущение, что, когда пострадавший упал, его потащили к выходу на открытую палубу.

Она пошла по кровавому следу, открыла дверь и вышла на воздух. Следы продолжались и там и закончились лишь у самого борта.

— Похоже, Козленок не врет, — признал Борис Борисович. — Допился до белочки, зарезал друга, а потом сбросил тело в воду. Вызывать полицию, водолазов мне не с руки. Если мои боксерскис федерации узнают, что произошло на «Карибиен кап», то организация соревнований будет сорвана сейчас и вряд ли состоится вообще когда-либо. А туристы! Разве они будут покупать на мое судно туры, зная, что здесь произошло убийство! Конкурентов — море. Вот конкуренты обрадуются!

Он вздохнул и посмотрел на Веру.

— Я восхищаюсь вашей выдержкой, Верочка.

Такая выдержка для финансового консультанта — это что-то необыкновенное. Любая женщина, увидев столько крови, давно потеряла бы сознание!

— Я и не такое видала, — спокойно ответила Вера. — А потому послушайте мой совет. Вызывать полицию, водолазов или психушку — ваше право. Хотя мне кажется, это должен сделать капитан. Предупредите его, но попросите не торопиться пока вызывать кого-либо. Сейчас мы сами должны разобраться. Найти по возможности тело...

— Я не думаю, что кто-нибудь отважится нырять. Хотя... — Борис Борисович задумался. — Может, кого-нибудь из членов команды попросить? Я заплачу сколько надо.

Они вернулись в коридор и увидели, что Гилберт Янович успокаивает плачущего Холмского. Теперь они стояли уже значительно дальше от места преступления, чем пару минут назад.

Вера еще раз осмотрела стены и пол.

— Что-то и мне нехорошо, — отвернулся в сторону Борис Борисович.

— Не смотрите, — посоветовала Вера и продолжила, уже ни к кому не обращаясь: — По характеру пятен можно предположить, что ударов ножом было несколько. Кровь стекала неровно, хотя по составу однородная. Проникающих должно быть столько, что тело несчастного Федора Андреевича наверняка истыкано, однако артерии не задеты...

Она наклонилась, потерла пальцем одно из пятен и поднесла к лицу, принюхалась.

— Я думаю, что нам надо вернуться в зал, поговорить с труппой, а потом принять решение. То есть его примете вы, Борис Борисович, вместе с капитаном.

— Как скажете, — согласился Софьин.

И его тут же поддержал Скаудер:

— Надо все обдумать и принять взвешенное решение. А мы его, Борис Борисович, поддержим. Мы всегда на вашей стороне.

— Ты чего несешь? — не выдержал олигарх.

Но Гибель Эскадры уже спешно удалялся, обхватив за талию Холмского.

В зале были все те же лица. Отсутствовал только Борис Адамович Ручьев, который, судя по всему, остался в каюте Козленкова, чтобы успокоить друга. Вера вернулась в свое кресло, которое совсем недавно покинула. Борис Борисович хотел последовать за ней, но в последний момент передумал.

Вера обвела взглядом зал и произнесла:

— Я — Вера Николаевна Бережная. В своем кругу считаюсь специалистом высокой квалификации. Я хочу попытаться выяснить, что произошло. Кое с кем здесь я знакома, а потому тех, кого не знаю, прошу подойти к моему столу и назвать себя.

Актеры переглянулись недоуменно. И один из молодых людей — тот самый, который первым предложил позвать капитана, — спросил:

— А нас в чем-то подозревают?

— Представьтесь, пожалуйста.

Молодой человек хмыкнул:

— Артем Киреев.

— Татьяна Хорошавина, — прозвучал голос.

Вера отыскала глазами девушку. Та была встревожена, и только.

— Я помню, с вами мы уже встречались.

— Но официально меня вам никто не представлял, — возразила Татьяна.

— Сергей Иртеньев, — назвался еще один актер.

И только после этого молодая актриса, стоявшая рядом с ним и которая танцевала с ним прежде, подала голос:

— Алиса Иртеньева.

Вера кивнула всем и перешла к делу:

— Что вы можете сказать о Федоре Андреевиче Волкове?

Все молчали, только Стас Холмский всхлипывал.

— Он очень добрый был, — вдруг негромко произнесла Хорошавина.

— Великий артист и замечательный наставник, — подхватила Алиса Иртеньева.

— Большой талант, — прозвучал голос Киреева.

— Он нам с Алисой помог, когда у нас не было средств даже квартиру снимать, — последним высказался Сергей Иртеньев.

Хорошавина, очевидно, хотела еще что-то сказать, но, посмотрев на Скаудера, промолчала.

И тогда Вера обратилась к режиссеру:

— А вы что скажете?

Гибель Эскадры пожал плечами:

— Присоединяюсь ко всему выше сказанному.

— То есть вы так же считаете, что Волков — большой талант?

— Разумеется. Что вы от меня еще хотите? — раздраженно спросил он.

— Ничего более. Добавлю только, что и Алексей Дмитриевич, насколько я понимаю, тоже великий артист. И Борис Адамович Ручьев... Жаль, что они уже в возрасте. Но советую вам учиться мастерству. Особенно тому, как они умеют выдерживать паузу. Ни меньше ни больше, а ровно столько, сколько нужно.

— Я не понимаю! — не выдержал Софьин. — Здесь почти на наших глазах произошло убийство! Два талантливых, как вы пытаетесь доказать, дурака нажрались, и один зарезал другого. Он ведь зарезал его не дома, или в подворотне, или в общественной бане. А на моем корабле! Он сломал мне бизнес! Многомиллионные вложения — коту под хвост! А вы, Верочка, выясняете, кто из них талантливее? Они, как мне помнится, сами выясняли это, и вот чем закончилось.

Вера не успела ничего ответить, потому что раздалось треньканье балалайки, и в зал ворвались, приплясывая, Козленков и двое бородатых богатырей. Один из них, а именно Ручьев в накладной бороде, бренчал на балалайке, а сам Козленков пел вместе с бородатым внезапно воскресшим Федором Андреевичем Волковым.

Смерть Кощеева в яйце,
А яйцо лежит в ларце.
Значит, три богатыря
Били в пах Кощея зря.
Ла-ла-ла-а!
Ла-ла-ла-а!

— А-а-а! — громко закричали все актеры и зааплодировали.

Только Танечка Хорошавина закрыла лицо и зарыдала от счастья.

— Так это розыгрыш был! — удивился Гилберт Янович и растерянно посмотрел на Софьина.

Тот стоял бледный и молчал.

— Не обижайтесь, Борис Борисович, — попросил его Скаудер. — Это ведь актерская традиция вот так разыгрывать друг друга.

— Я вас тоже очень скоро разыграю: сокращу финансирование в будущем году, — мрачно пообещал Софьин.

Иван-царевич с престарелыми богатырями продолжали петь:

У Прекрасной Василисы
Силиконовая грудь...

Теперь к ним присоединилась Алиса Иртеньева:

Дуракам закон не писан:
Им бы только... ущипнуть.

— Дураки вы все! — махнул рукой Софьин и обернулся к Вере.

Она улыбалась.

— Вам нравится? — удивился олигарх.

Вера кивнула.

Борис Борисович вернулся за стол, сел рядом с ней, достал из ведра бутылку, начал открывать ее.

— Чего на приколе встал, Гибель Эскадры? — крикнул он наблюдающему за его действиями худруку. — Тащи еще шампанское! Все вместе будем пить и радоваться вашим дурацким глупостям.

Ящик с шампанским стоял неподалеку, спрятанный под столом и прикрытый приспущенной скатертью. Хлопнула открываемая бутылка. Вера подставила свой бокал. И, наполняя его, Софьин сказал:

— Вы сразу поняли, что это розыгрыш?

— Сначала так и подумала. Потом я поддалась общей печали. Но когда увидела место преступления, поняла, скорее всего, ничего здесь не произошло. По густоте пятен и запаху поняла, что это не кровь, а какой-то сок. И стала ждать, когда шутники появятся. Думала, что они тянуть долго не будут, потому что в этом случае им не простят. А так вроде все весело было. Не правда ли?

Софьин поморщился:

— Не знаю, мне так не смешно абсолютно. Ни тогда, ни теперь. Я — серьезный человек. Хотя нет, люди — это они, а я — серьезный бизнесмен. Может, им кажется шуткой издеваться надо мной, но я такие вещи не прощаю. Сейчас по бокальчику лично с вами выпьем, и я пойду.

Но сидели еще долго. Борис Борисович успокоился, пил шампанское, произносил тосты и даже смеялся, говорил комплименты артистам. Вера искренности Софьина не верила, чувствовала, что олигарх что-то задумал.

А время пролетело быстро. Борис Борисович поднялся и сообщил одной лишь Вере, что через двадцать минут судно отходит и он хочет посмотреть за процессом с капитанского мостика, Вера идти с ним отказалась.

Через какое-то время палуба под ногами начала медленно дрожать. Но этого, судя по всему, никто из присутствующих не заметил. Под гитару Волкова артисты дружным хором пели неизвестную Вере песню.

Нам до счастья осталось немного,
Будет солнце сиять, а пока
Дождь идет по велению бога,
Укрывая в туман берега...

Вдруг Вера вспомнила, что на борту судна должен быть еще один пассажир, о котором все почему-то забыли и не вспоминали совсем. Пассажир, которого не было на общем празднике и на ужине. И вообще Бережная не видела ее нигде: ни в коридорах, ни на палубе, ни в лифтах. Элеонора Робертовна Герберова — ответственный сотрудник Министерства культуры.

Не может быть, чтобы она брезговала общением с артистами!

А на подиуме артисты продолжали с веселым самозабвением распевать то, что наверняка написал сам Федор Андреевич, смотрящий сейчас на всех с высоты своего роста и своего таланта с любовью и жалостью.

> Не бывает любви без скитанья,
> Небо плачет, но ты не реви:
> Посылает судьба испытанья
> Только тем, кто достоин любви...

Глава 8

Около двух часов ночи Вера Бережная попрощалась с артистами, сказав, что у нее была тяжелая командировка и она хотела бы отдохнуть. Ее пытались удержать, потому что, кроме шампанского, появились и другие напитки, праздник становился все веселее, но она отказалась.

Да и в самой артистической компании начались разброд и шатание, кто-то выходил курить на свежий воздух, кто-то выбегал в каюту, чтобы принести из мини-бара очередную бутылку. Вера поднялась на лифте, прошла по коридору и уже почти достигла двери своей каюты, как услышала неподалеку приглушенный разговор. Она замерла и прислушалась. Голоса доносились из-за двери одной из кают. Мужчина и женщина разговаривали негромко, слов было не разобрать. Пришлось сделать несколько шагов назад, чтобы определить дверь, за которой шла беседа.

Разговор был нервный. Но Веру удивило другое: она даже не догадывалась, что в этом отсеке путешествует еще кто-то, кроме Софьина, Скаудера и ее самой. А теперь получается, что здесь инкогнито направляется в Петербург какая-то пара и, судя по разгневанному тону женщины, можно предположить, что это семейная пара.

Женщина за стеной, очевидно, расхаживала по каюте, и, когда она приближалась к двери, можно было что-то разобрать.

— Ты меня достал! Понимаешь? Достал! Если я тебе сказала: далеко от меня не уходить, то...

— Но не могу же я всех бросить! Иначе все подумают...

Разговор перешел на повышенные тона, и можно было не напрягать слух, потому что и так все слышно было очень хорошо.

— Мне плевать на то, что подумают все. Кто такие все? Артисты твои? Так медведям в цирке тоже аплодируют, а кого заботит, что они о себе думают, эти медведи?

— Но...

— Молчи! Если хочешь выпить, то вон — открой бар и нажрись!

— Зачем ты так? Я не собираюсь напиваться. Да и ты могла бы со всеми вместе. Все только рады были бы...

— Слишком много чести!

Вера уже почти не сомневалась, кто за дверью. Женщина наверняка та самая Элеонора Робертовна Герберова, о которой она совсем недавно вспомнила. А мужчина? Кто-то из труппы? Скорее всего, кто-то из артистов. Но голос мужчины она вспомнить не могла.

— Хорошо! — вдруг почти примиряюще произнесла Герберова. — Я сейчас сама спущусь вниз. Уверяю тебя, что все веселье сразу прекратится. Прекращу эту пьянку. Каждый год вашему театру выделяются из бюджетных средств гранты, а вы их подобным образом прогуливаете!

— Да это Борис Борисович нас угощает!

— Чего ты мне вкручиваешь?! Уж я-то знаю его щедрость. Софьин — известный бизнесмен, он умеет считать деньги и не тратит их на всякую шушеру в отличие от доверчивого государства... Погодите, мой дорогой, сейчас спущусь и наведу порядок!

— Может, не надо тогда спускаться?

— А ты не указывай, что мне делать! Я просто спущусь, и когда ваши театральные потаскухи увидят меня во всем блеске моих брильянтов, когда они поймут, что мы существа разного мира... То есть это они существа, а я — человек из другого мира. Другого! Ты понял? Из мира, в который вам всем не попасть никогда!.. Давай возвращайся туда: не можем же мы с тобой под ручку появиться? Что про меня подумают?.. Погоди, помоги мне на шее застегнуть...

Вера поняла, что пора уходить. Вернее, пора возвращаться к веселой компании. Она добежала до лифта, спустилась, снова вошла в зал огромного ресторана, в котором, по замыслу Софьина, уже очень скоро будут проходить боксерские поединки. Только здесь кое-что уже изменилось. За время ее отсутствия все столы были сдвинуты в один большой, вокруг которого расселась вся труппа.

Увидев ее, навстречу поднялся Козленков и подвел к столу, усадив между Волковым и собою. Вера обвела взглядом собравшихся, чтобы узнать, кого не хватает, но тут жс все радостно закричали и посмотрели на дверь. В зал вошел Артем Киреев с бутылкой виски в руке. Руку с бутылкой он победно вскинул над головой, и собравшиеся зааплодировали. Только старшее поколение не аплодировало.

Борис Адамович даже произнес недовольным тоном:

— Вас, молодой человек, только за смертью посылать!

Бутылка была выставлена на стол и тут же открыта. От Веры не укрылось, что, открывая бутылку, Артем цепким взглядом оглядел пространство вокруг себя, словно высматривая свободное место.

— Шампанское закончилось? — обратилась Вера к Алексею Козленкову.

— Да сколько угодно еще!

Перед ней поставили чистый бокал, а может быть, просто пустой, и наполнили его. Волков поднялся. Ручьев постучал вилкой по пустому бокалу, призывая к тишине. Разговоры и смех смолкли.

— Дамы и господа, — обратился народный артист к сидящим за столом. — Собратья и сосестры, уважаемый господин художественный руководитель и вы, мадемуазель, — Волков обернулся к Вере и склонил голову. — Без малого двести семьдесят лет назад мой предок и тезка Федор Волков в большом каменном амбаре, доставшемся ему вместе с фабриками и магазинами от покойного отчима — купца Полушкина, впервые в России публично представил свою постановку пьесы «Эфирь». Именно в тот день зародился русский театр, зародилось то актерское братство — единственная ценность, которой все мы обладаем сообща, потому что талант у каждого свой, данный богом, а братство у нас одно на всех!

Он произносил эти слова, а все медленно поворачивали лица в сторону двери. Наконец и Волков посмотрел туда. К столу приближалась дама в вечернем платье цвета электрик и с оголенными плечами. На груди и в ушах у нее переливались голубыми искорками отраженного света брильянты. Волосы ее были коротко подстрижены, покрыты гелем и зачесаны за уши — вероятно, для того чтобы не мешать блеску брильянтов.

Артем Киреев выскочил навстречу, успев подвинуть в сторону сидящего рядом с ним Иртеньева. Киреев подал руку вошедшей даме, но та не приняла ее. Тогда Артем схватил свободный стол и втиснул его между собою и Сергеем Иртеньевым.

Элеонора Робертовна не успела опуститься, как к ней подскочил Гибель Эскадры и подал руку, и, когда ему милостиво протянули кончики пальцев, склонился и коснулся их губами.

— Несравненная наша Элеонора Робертовна! — воскликнул он, усаживая ее за стол и глазами показывая всем, что нужно поменять посуду и приборы.

— Продолжайте, пожалуйста, — снисходительно произнесла Герберова, взглянув на Волкова.

Потом она скользнула взглядом по Вере, поняла, что не знает ее, вернула на нее свой взгляд и оторопела, увидев сверкающий гранями камень на ее шее. Тут же опомнилась и вновь посмотрела на Волкова:

— Продолжайте, как ни в чем не бывало. Расслабьтесь! Представьте, что я тоже член вашей команды.

Ручьев после этих слов склонился немного за столом, Вере показалось, что Борис Адамович пытается скрыть улыбку.

— Спасибо, — поклонился Элеоноре Робертовне невозмутимый Волков. — Спасибо, что вы своим присутствием украсили приют бедных комедиантов, придав ему столько блеска и таинственного шарма!

Дама улыбнулась, а Волков продолжил:

— Через два года после первого представления в Ярославле императрица вызвала Федора Волкова в столицу и поручила ему организацию публичных театральных представлений. А еще через три с половиной года специальным императорским указом присвоила ему звание первого русского актера. Это я к тому, что верховная власть всегда заботилась о театре и о людях, которые служат в нем. И сейчас мы все ощущаем заботу и внимание, и даже любовь к нам. А потому я хочу выпить и предложить это сделать вам, за уважаемую...

Все начали аплодировать, а Киреев наполнять шампанским бокал, стоящий перед представительницей Министерства культуры. Она пальчиком с ярко-красным лакированным ногтем показала половину бокала.

— За нашу обожаемую...

Все начали подниматься. Даже женщины. Вера осталась сидеть, как и Герберова, впрочем.

— Пей до дна! Пей до дна! Пей до дна! — закричали собравшиеся.

Элеонора Робертовна подняла бокал, вздохнула, как будто приходится делать то, что делать совсем не собиралась. Пригубила, хотела вернуть бокал на стол, но потом махнула левой рукой, решаясь на непозволительный поступок.

— Была не была! — воскликнула она.

И допила шампанское до дна.

— Ура! — крикнули все.

Дама вытерла губы салфеткой, посмотрела на измазанный красной помадой край бокала и отодвинула его от себя. Потом сделала попытку подняться, но передумала.

— А теперь моя очередь, друзья, сообщить волнительные для вас моменты...

— Волнующие, — прозвучал негромкий голос.

Все посмотрели на Бориса Адамовича.

— Надо говорить «волнующие», а «волнительные для вас» — грубая ошибка. Тем более «сообщить моменты» — полная безграмотность.

Герберова поджала губы, потом вдохнула, словно специально переводила дыхание, чтобы не вскипеть.

— Борис Адамович, вы здесь самый умный и образованный?

— Предполагаю, что да, — согласился Ручьев.

— Тогда почему вы, такой образованный, не знаете, что то, что я говорю, уже стало нормой. Язык — это саморазвивающаяся система и он сам выбирает формы и обороты.

— Я прошу прощения, что задел вас, не сдержавшись. Но меня интересует: чей язык выбирает формы и какие обороты вы имеете в виду? И почему вы считаете, что сказанное именно вами становится нормой?..

— Боря, прекрати! — закричал Гибель Эскадры и подскочил к представительнице Министерства культуры: — Не обижайтесь на него! Борис Адамович сегодня немного... И потом у него жена умерла полгода назад...

— А я и не обиделась, — гордо ответила Герберова. — Но господин Ручьев наверняка помнит, что возраст у него пенсионный и договор с театром на будущий год с ним могут не продлить. У нас ведь столько молодых перспективных режиссеров без работы маются. А что же касается упреков в какой-то моей безграмотности, хочу напомнить, что у меня два образования: филологическое и театроведческое. Так что не вам меня учить, как говорится. Но я все же скажу, хотя мне упорно пытаются не дать этого сделать. А перед тем как сообщить... — Она наклонилась над столом и медленно отчетливо произнесла: — О волнительных моментах для каждого из присутствующих... — Элеонора Робертовна откинулась на спинку стула. — Прошу наполнить бокалы шампанским.

Начали хлопать пробки, напиток наполнял бокалы. Герберова сидела молча и не шевелясь, лишь однажды бросив взгляд в сторону Веры. Потом, заметив, что Артем Киреев подвинул к ней наполовину наполненный бокал, произнесла:

— Вчера в английской газете «Сан» появилась не страничка, а целый разворот о вашем театре. О том фуроре, который ваша... — Она посмотрела на Скаудера. — Именно ваша, Гилберт Янович, постановка произвела фурор в Норвегии. В этой статье высказана уверенность, что в будущем году искушенная театральная публика Соединенного королевства увидит вашу труппу на традиционном Шекспировском фестивале. И в Министерстве культуры уже сегодня отреагировали, приняв решение доверить право представлять нашу страну на этом самом престижном театральном фестивале театру «Тетрис».

— Ура! — закричали все и начали сдвигать бокалы.

— Конечно, труппу надо усилить, от кого-то необходимо избавиться... К тому же у вас, как мне стало известно, нашлась группа товарищей, которым наплевать на доброе имя театра. Группа, которая путешествует теперь самозванно...

— Откуда она знает? — шепотом обратился Волков к Козленкову.

— Гибель Эскадры накапал, — ответил тот. — Больше некому.

Все выпили шампанское, начали целоваться. А Герберова обратилась вдруг к Волкову.

— Я слышала прежде, что вы из династии знаменитых артистов, будто бы тот самый отец русского театра — ваш предок. Это правда?

— Абсолютная. А прадед служил в императорской Александринке, дед — во МХАТе. Когда началась Великая Отечественная война, дед не пошел во фронтовые бригады артистов для выступлений перед войсками, а записался в ополченье. Пошел в самую мясорубку — оборонять Москву. Был ранен, вернулся в строй, хотя его отговаривали. Был убит в сорок втором году подо Ржевом. И эта смерть так поразила его друга Александра Твардовского, что потом он написал стихотворение, которое впоследствии мой отец читал на вступительных экзаменах. Все его знают.

И он начал негромко и медленно декламировать:

Я убит подо Ржевом
В безыменном болоте,
В пятой роте, на левом,
При жестоком налете...

Голос Федора Андреевича дрогнул. Волков замолчал и прикрыл глаза ладонью. Потом убрал ладонь и продолжил:

— Отец служил в провинциальном театре. В тридцать три года получил долгожданную роль Гамлета. Возвращался домой после премьеры, переполненный эмоциями... Не выдержало слабое сердце. Отец присел на парковую скамью. Ночь, пустая аллея. Помочь или вызвать врача было некому...

— Так и вам надо готовить Шекспира, — напомнила Герберова. — Только по-новаторски, Гилберт Янович, как вы умеете. Конечно, Гамлет из уважаемого Федора Андреевича уже не получится, но роль-то вы для него подыщите...

— У меня уже есть задумки, — встрепенулся Гибель Эскадры. — Второстепенную роль в постановке одной шекспировской пьесы, не скажу какой, я сделаю центральной. Вернее, ее сделает таковой блистательный артист Федор Волков.

— Вот и славненько, — с некоторым неудовольствием произнесла Элеонора Робертовна, словно подводя итог официальной части заседания.

Кто-то включил музыку, две пары вышли танцевать: чета Иртеньевых и Козленков с Таней Хорошавиной. Киреев направился к Вере, но его опередил Волков. Федор Андреевич поднялся и подал руку:

— Вы позволите?

Вера приняла приглашение, а Киреев направился к своему месту. Но его стул уже занял Гилберт Янович.

— Как вам наша компания? — спросил Волков во время танца.

— Душой с вами отдыхаю, — улыбнулась Вера.

— Мы иногда не такие, какими порой кажемся. Но это все издержки профессии. Театр ведь одна семья: все друг другу братья и сестры, очень часто — муж и жена, и порой забываешь, кто кому муж, а кто кому жена...

— Ваша жена тоже актриса?

— Упаси Боже! Она театровед. Преподает историю театра и русскую драматургию. Вернее, уже не преподает. Но Элеонора Робертовна училась именно у моей жены. Герберова даже в дом к нам как-то пробивалась, чтобы сдать экзамены или зачеты. Не помню уж что. Такой напор был, что Анечка не смогла отказать, а потом переживала за то, каких специалистов выпускаем... Ни знаний, ни желания что-либо знать. А теперь вот Элеонорочка командует театральным департаментом в министерстве. А мы боимся монстров, которых сами же и взрастили.

— Она замужем?

— Не интересовался. А сами как считаете? Мне кажется, что вы очень наблюдательный человек.

— Глядя на нее, не могу определить точно. По моему убеждению, брак, а лучше сказать семья, — это страстное желание делиться всем с близким человеком, а такие, как она, делиться не любят.

Хотя ради карьеры она может и замуж сходить, если предложат, конечно...

Они танцевали два танца подряд, не зная, что за ними наблюдают. Герберова беседовала со Скаудером как раз о Вере Бережной.

— Что это за дамочка в вашей компании? — спросила Элеонора Робертовна. — Уж больно вульгарна.

— Говорят, из Министерства иностранных дел.

— Тогда понятно, почему она нацепила на себя такую безвкусную безделушку, да и платье у нее не для подобных случаев.

— Она в министерстве какой-то аналитик, — вспомнил Гибель Эскадры. — Ее Софьин пригласил. Так вокруг нее и увивается.

— Да? — удивилась Герберова. — Тогда почему я ее не видела никогда? Вы меня познакомите с нею?

— Да я и сам едва-едва. Борис Борисович привел ее, они посидели вместе, потом он ушел, следом она...

— Я даже догадываюсь, куда сходила, — усмехнулась Элеонора Робертовна. — Сразу видно, что хваткая бабенка. Сколько ей? Тридцать? Ну что же — Борис Борисович не женат. Она жизнью тертая, сразу видно... Все равно вы должны меня с ней познакомить.

Когда Вера Бережная вернулась за стол, Гибель Эскадры подвел к ней Герберову.

— Дамы, позвольте вас представить друг другу, хотя мне кажется, что вы знакомы.

— Вы же из МИДа? Меня едва не распределили в культурный центр МИДа, — улыбнулась Элеонора Робертовна. — Но в самый последний момент по направлению отправили в Минкульт. И там тружусь уже больше пятнадцати лет. Но мы с вами наверняка встречались на совместных мероприятиях. Вы в каком отделе трудитесь?

— Да я все больше по безопасности, — ответила Вера.

— Как интересно! — расплылся в улыбке Гилберт Янович, но Герберова не обращала на него никакого внимания.

— Хороший кулон у вас, — сказала она Вере. — Наверное, за границей приобрели? Это что за камень? Сапфир не может быть таким большим, если он натуральный.

— Бывают и больше, — ответила Вера. — Но это танзанит.

— Да? Я даже не слышала о таком драгоценном камне.

— Очень редкий минерал. Говорят, что запасов его осталось на пять лет. Он и сейчас недешевый, ну а потом цена подскочит значительно. Так что для меня это просто вложение капитала.

— Не боитесь вот так носить его? — шепнула Герберова и махнула рукой Скаудеру, давая понять, что тот сделал свое дело и может уходить. —

Так открыто его носите! А ведь если кто-то вдруг положит на него глаз...

— Но ведь здесь все свои, — безмятежно ответила Вера.

— Вы наивный человек! — усмехнулась сочувственно Элеонора Робертовна. — Уж я-то знаю их всех. Насквозь вижу! Звезды, таланты, гении, популярные... А вы бы видели, как они пресмыкаются в моем кабинете, когда что-то выпрашивают.

— А есть что выпрашивать?

— Ну, это как сказать. Вам-то наверняка уже сообщили, что гранты распределяю только я. Конечно, существует специальная комиссия, но без моей визы ничто не сдвинется и ни одна государственная копейка не полетит. Давайте где-нибудь в сторонке поговорим? А то вон Ручьев возвращается. А он сегодня явно не в своей тарелке, того и гляди кусаться начнет. Отец его был известным детским писателем. Вот он считает, что в русском языке лучше всех разбирается... В смысле, в филологии.

Борис Адамович, заметив, что во главе стола сидит теперь Герберова, свернул в сторону, но Элеонора все равно поднялась.

— Здесь вряд ли сможем поговорить, — сказала она Вере. — Вы на каком этаже остановились? В смысле, на какой палубе?

— Мы с вами соседки.

— Прекрасно! С утречка заходите, хотя я все равно уже не засну сегодня. И если у вас останутся силы, можно прямо сегодня. Меня эта компания уже достала, если честно. Визит вежливости нанесла и пора. У меня в номере, в смысле в каюте, есть бутылочка «Шато Петрюс» девяносто первого года. Я хотела ее домой прихватить на какой-нибудь торжественный случай, но готова разделить ее с вами.

— Выпью, конечно, — улыбнулась Вера. — Но вынуждена вас разочаровать: у вас в каюте подделка. «Петрюс» — единственное из бордоских вин, в названии которого нет слова «шато», и потом в тысяча девяносто первом году хозяйство отказалось от производства вин из-за плохого урожая.

Герберова сидела в некотором оцепенении.

— Выходит, Софьин подсунул мне подделку? А я-то подумала, что он дал бутылку за две тысячи евро по доброте душевной. Но вы точно все это знаете?

— Абсолютно. Вино «Петрюс» очень любила писательница Агата Кристи, и потому она наделила подобной любовью своего главного героя — сыщика Эркюля Пуаро. Именно «Петрюс» Пуаро пил в фильме «Смерть на Ниле». Помните такую экранизацию?

— Так что, вы его пить не будете? — спросила Герберова.

— Можно и попробовать. Вполне вероятно,

что это хорошее бордо, а этикетку приклеили для солидности, зная, что настоящие ценители все равно на нее не клюнут.

— Значит, зайдете?

Вера задумалась на пару секунд и кивнула:

— Обязательно.

— Тогда давайте-ка еще по бокальчику шампанского: французское как-никак. Не этим же диким людям его оставлять?

— Я лучше выпью бордо с вами чуть позже.

— Тогда о'кей, а я распоряжусь, чтобы мне подняли туда закуски: сыр, оливки, хамон. Вы что предпочитаете?

— Все равно, чем будете угощать, то и съем.

Герберова обвела взглядом стол. Очевидно, она высматривала Артема, но он танцевал с женой Иртеньева, а тот сидел в одиночестве.

— Эй! Как вас?.. — позвала Сергея представительница Министерства культуры. — Не в службу, а в дружбу, отнесите мне в номер... Сейчас я сама покажу, что брать.

Она поднялась и подошла к Иртеньеву, стала что-то перечислять, а тот подвинул к себе поднос, начал нагружать его. Герберова, заметив проходящую мимо Таню Хорошавину, подозвала и ее:

— И вы тоже, девушка, потрудитесь немного.

Татьяна безропотно взяла поднос. Тут же к ним подошел Скаудер поинтересоваться, что происходит. Услышав, что Герберова просила доставить закуски в ее номер, тут же начал помогать. А когда подносы были наполнены, шепнул что-то на ухо Элеоноре Робертовне. Та кивнула в ответ и положила ключ от каюты на поднос, который держала Хорошавина.

— Оставьте все на столе и сразу обратно. Только руками там ничего не трогать! Только отнести, не забыть запереть дверь и вернуть мне ключи, — приказала Герберова.

К столу вернулся Волков. Извинился, что оставил Веру одну, и объяснил, что просто не хотел мешать ее разговору с высоким начальством.

— Подошли бы, — успокоила его Вера. — И тогда бы никакого разговора не было. А так пришлось слушать пустую болтовню...

— А куда она Таню погнала и Серегу?

— Вероятно, она воспринимает артистов как обслуживающий персонал. Потащили ей в каюту закуски. Она собирается продолжить вечер у себя и меня пригласила. Я зачем-то согласилась.

Волков глубоко вздохнул.

— Ну что тут говорить? Танечку жалко. Очень талантливая девочка. Обидно до слез, что с ней так.

— А свою эпиграмму помните?

— Ну это ведь по-дружески, — смущенно улыбнулся Волков. — Она не в обиде была. Просто был такой случай. Боря Ручьев уже в новом театре поставил пьесу собственного сочинения «Чердачный ангел». Леша Козленков в главной роли, я играл его лучшего друга и собутыльника, что весьма схоже с действительностью. Была прекрасная музыка, роскошные декорации... Молодой художник, который и придумал декорации, выклеивал макеты, был тоже чрезвычайно талантлив. Рисовал эскизы, получилось так здорово. Вы представьте: сцена разделена по горизонтали, две плоскости: одна квартира одинокого поэта, а сверху темный чердак, на котором гнездятся голуби. Живые голуби, между прочим, с них-то потом все и началось... Так вот живет в квартирке под чердаком поэт, к нему приходит друг. Они выпивают, говорят об искусстве, ссорятся, квартира заполнена пустыми бутылками, а по ночам, когда поэт уже не может пить и творить, сверху спускается тоненькая девушка-ангел, которая убирает квартиру и танцует. Танечка ведь закончила Вагановское училище и, как ни странно, оказалась талантливой, пошла в театральный, окончила — и по распределению в наш театр. Она так танцевала на сцене! У всех зрителей душа замирала от восторга! По сюжету поэт просыпается среди ночи и видит ее танцующей. И возникает у него любовь к эфемерному созданию, они вместе летают над городом, вместе с голубями.

Федор Андреевич замолчал.

— Я не утомил вас своим пересказом?

— С большим интересом слежу за вашим рассказом, — улыбнулась Вера.

— Так прошли несколько спектаклей, — продолжил он. — На ура прошли. Нас вызывали каждый вечер десятки раз на аплодисменты... А потом один из голубей каканул на какую-то даму. Подозреваю, что это как раз Герберова и была. Что тут началось! Короче, спектакль закрыли. Борю Ручьева раскритиковали, упрекали черт знает в чем: в прославлении религии и алкоголизма, в формализме, в отсутствии таланта... Это у Борьки Ручья отсутствие таланта! А у Танечки Хорошавиной это была единственная главная роль, и она ее сыграла гениально. А тут ее отстраняют от всех ролей, даже от эпизодов. Ну, мы и пошли с группой товарищей ее проведать, потому что она в театре плакала и вообще оказалась полностью выбита из колеи. Нагрянули к ней поздно вечером. Дверь не заперта, вошли... Убогая квартирка, даже описывать не буду. В комнатке спит голая Танечка в дорогих сапожках, а на столе остатки пиршества... Бутылки, закуски — много чего. На что у Хорошавиной денег никогда не было и быть не могло. Будить ее не стали. Завернули в одеяло, девочки наши убрались в квартирке, намыли посуду и пол... Представляю, как она удивилась, когда проснулась и увидела эту чистоту! Решила, наверно, что и к ней с чердака кто-то спустился. Но никто не выдал, никто не рассказал, что это мы постарались. А потом я сдуру эпиграмму написал. Но она настолько чистый человечек, что не смогла даже представить... Да и не помнит, наверное, как засыпала. Кто-то ее напоил. Только вот кто?

— А про дорогие сапожки что сказала?

— Сказала, что повезло на распродаже: купила и только потом узнала, что они из дорогой козьей кожи.

— Она там же и живет в той убогой квартирке?

— А где же еще? Одна. То есть сейчас с ребенком. У нее мальчик родился. Сейчас ему уже лет пять.

— А где ее сын и с кем, когда она на гастролях?

— Так лето сейчас. Ребенок у бабушки в Ярославле. Танечка с детства ведь одна: то в балетном училище, в интернате, то институтская общага... Удивительно, как она чистоту сохранила.

— А Киреев?

— Что Киреев? А, вероятно, вы заметили, что он ей симпатизирует? Ну, он странная личность. Хороший актер. Амбиции присутствуют, и порой оправданные, но его игра слишком жесткая. Он хорош для фильмов про ментов, но его почему-то туда не приглашают. Он пытается с Танечкой сблизиться, но она поставила между ними стену.

— А ребенок у нее от кого?

— Тоже вопрос. Молчит и не признается. Мы были в Ярославле на гастролях. Ее мама пригласила меня и еще кого-то к себе. Так даже мама у нас шепотом спрашивала, чей ребенок, потому что дочка ей об этом не говорит. А так у Тани и нет никого, что для красивой девушки, а уж для актрисы тем более, странно. Но она не из этих... Вы понимаете, кого я имею в виду.

Элеонора Робертовна закончила свой разговор с Гибелью Эскадры, подошла к столу и, поискав глазами тех, кого послала относить подносы с продуктами, и не обнаружив их, удивленно посмотрела на Веру и спросила:

— А где эти?

Вера пожала плечами. Элеонора Робертовна поспешно пошла к выходу.

— Эти... — повторил Волков. — Мы для нее «эти». Для кого-то мы, может быть, кумиры, но для таких, как Герберова, мы рабы. Как будто мы существуем лишь для того, чтобы они жили замечательно и безбедно. Талантливые, образованные, ранимые люди страдают от нищеты и неустроенности на свете, а наглые бездарности помыкают ими. Наглые и необразованные. Ведь именно Элеонора в свое время пыталась на экзамене убедить мою жену-доцента, что Александр Николаевич Островский написал пьесу «Жестокий романс». А когда экзаменатор попыталась возразить мягко, что пьеса называется както иначе, студентка стала хохотать и спросила: «А вы сами-то ее читали?» После чего приезжала пересдавать к нам домой, и это свое унижение она нам с женой простить не может до сих пор, хотя обедом мы ее тогда накормили и подарили книгу со статьей Гончарова «Мильон терзаний». Она ведь, сдавая экзамен у нас на дому, заявила, что «Горе от ума» — это пьеса про то, как замшелые патриоты травят прогрессивного либерала-западника. А теперь эта девочка командует театрами и актерами. Печально! Кстати, а не случилось ли чего? Что-то ребят долго нет.

Хорошавина с Иртеньевым и в самом деле задерживались. Не только Волков, но и Вера подумала, что, вероятно, что-то произошло. Потом из зала вышел Киреев. Вера поискала глазами Скаудера, но и его не оказалось. Когда Гибель Эскадры исчез — было непонятно: судя по всему, Вера просто упустила его из вида, увлеченная разговором. Не было и Бориса Адамовича. Киреев вдруг вбежал обратно.

— Давайте хлопнем по рюмашке, друзья, — предложил в этот момент Волков. — За наше терпение адское.

Тут он заметил, что ресторанный зал почти пуст.

— А где все?

— Я сейчас всех приведу, — ответил Артем Киреев и снова сорвался с места.

— Стасик, давай с нами, — позвал единственного оставшегося мужчину Волков.

— Вы же знаете, что я не пью алкоголь, — ответил Холмский. — И вообще, что-то мне не очень хорошо. Вероятно, морская болезнь начинается. Пойду прилягу.

И он ушел. Не спеша, держа спину прямо и красиво.

Волков потянулся за бутылкой, посмотрел с надеждой на Веру.

— Придется нам вдвоем. Я уже заметил, что вы прекрасно держите дозу. Не обижайтесь, но это комплимент. Не все даже в спецслужбах так могут.

Рядом с ними появился Козленков.

— Ну вот! — обрадовался Волков. — Картина третья: те же и Козленков.

Алексей Дмитриевич сел рядом с ним и подвинул свой стаканчик к горлышку наклоняемой бутылки. Волосы его были влажными.

— Выходил на воздух освежиться. Темнота, и ничего не видно, но все равно красота.

Выпили виски, Вера закусила ломтиком сыра. После чего Волков взял ее руку, наклонился и коснулся ладони губами.

— С вами спокойно, — произнес он.

Наконец, в зал стали возвращаться артисты.

— Я, пожалуй, покину вас, — произнесла Вера. — Успеем еще пообщаться и наговориться, впереди день и ночь.

— Нам день простоять да ночь продержаться, — сказал Козленков и махнул рукой появившемуся Ручьеву, подзывая его к столу.

— Погодите, — попытался удержать ее Волков. — Только начали разговор, а вы нас покидаете. Вернетесь?

Вера хотела попрощаться, но теперь подумала, что не будет долго сидеть с Герберовой и выпивать с ней точно не будет. Сошлется на усталость и вернется к артистам, раз они так об этом просят.

— Скоро вернусь, — пообещала она.

Глава 9

Вера вышла из лифта и направилась в сторону каюты Герберовой. По дороге она встретила лишь Таню Хорошавину с двумя пустыми подносами, девушка выходила из лифта.

— А где остальные? — обратилась к ней Вера и заметила, что молодая актриса встревожена чем-то. — Где Иртеньев?

— Не знаю, — ответила Таня. — Мы отнесли закуски, потом вместе вышли, поговорили немного в коридоре. Сергей сказал, что заскочит к себе... То есть мы вместе спустились на наш этаж, и я тоже решила зайти в свою каюту.

— Элеонору Робертовну не встретили?

— Нет, — растерялась Татьяна.

И поспешно проскочила в сторону ресторана, не дожидаясь новых вопросов.

Вера дошла до двери каюты Элеоноры Робертовны и прислушалась. Вполне возможно, что Киреев находится там, а в этом случае не стоит ставить в неловкое положение и Герберову, и актера. Но за дверью каюты была тишина. Вера постучала. В ответ ни голоса, ни шагов. Вера постучала еще раз. Подумала, коснулась ручки двери, наклонила ее, потянула на себя. Дверь оказалась не заперта.

— Элеонора Робертовна, — позвала Вера.

Ответа не последовало. Вера уже хотела уйти, но заметила нечто странное. Ей показалось, что на полу что-то лежит. Она решительно вошла в каюту.

Герберова лежала на полу на спине, лицом вверх. Вера подошла, но ей даже не пришлось наклоняться, чтобы понять — Элеонора Робертовна мертва. Из груди Герберовой торчала рукоятка охотничьего ножа. Вероятно, того самого, что Козленков приобрел в Осло. Следов борьбы не наблюдалось, и, судя по всему, смерть чиновницы наступила мгновенно. Бриллианты мерцали в ее сережках и в ожерелье на груди.

Вера заглянула в пустую туалетную комнату, оглядела каюту. На столе стояли выставленные закуски, которые принесли Таня Хорошавина и Сергей Иртеньев. На туалетном столике лежала сумочка-клатч, с которой Герберова была в ресторане. В ящичках туалетного столика были свалена косметика, коробочки с духами, корешки чеков такс-фри, скрепленные фиолетовой пластиковой скрепкой. Тут же лежали загранпаспорт и внутренний российский паспорт.

Вера открыла российский: «Герберова Элеонора Робертовна. Год рождения: 1980». Проверила адрес регистрации — Елисеевский переулок. То есть самый центр: совсем рядом театр МХАТ и Министерство культуры. Штампов о браке или разводе нет. Как нет и вписанных в паспорт несовершеннолетних детей. Но паспорт был выдан три года назад, а значит, это могло быть и после развода. Впрочем, детей бы в любом случае вписали.

В платяном шкафу на пластиковых плечиках висели несколько платьев, стоял небольшой кожаный чемодан с бельем, еще одна сумочка, тоже кожаная, для прогулок по улице. В этой сумочке находился бумажник с несколькими российскими купюрами разного достоинства, пара американских сотенных и неистраченная шведская двадцатка с портретом писательницы Сельмы Лагерлеф и стаей летящих гусей. Двадцатка была оставлена, вероятно, в качестве сувенира. Еще в сумочке нашелся кругляш тонкой прозрачной скотч-ленты.

Присутствие скотча удивило Веру. Она вернулась к содержимому чемодана и обнаружила на дне пластиковую папку с листами бумаги. Это были какие-то бухгалтерские документы. Несколько листов были разорваны, а потом аккуратно склеены узкой прозрачной лентой. Вера осмотрела пластиковый кругляш: он был шведского производства, следовательно, листы разорвали совсем недавно, а склеивали, скорее всего, минувшим днем, когда судно стояло в Стокгольме. Папку Вера Бережная решила забрать с собой, чтобы потом изучить.

Она вышла из каюты в пустой и тихий коридор, держа пластиковую папку под мышкой, достала тот самый кугляш и маникюрные ножнички, отрезала два коротких кусочка и закрепила их между дверью и стеной вверху и внизу двери. Заскочила в свою каюту, спрятала под матрас папку и, не задерживаясь, вышла.

Ходовой мостик Вера нашла быстро. Там находились двое моряков: один, усатый здоровяк, сидел в кресле, а второй, помоложе и потоньше, стоял у приборов. Увидев ее, сидевший в кресле поднялся:

— Вы что-то здесь потеряли? — поинтересовался он.

— Ищу Бориса Борисовича, — объяснила Вера. — Он говорил, что будет здесь. А вы, наверное, капитан?

— Капитан, — хмуро кивнул здоровяк. — Борис Борисович уже ушел. Ему тут делать нечего, как и вам, впрочем.

Он был неприветлив, но Веру это не задело.

— Даже хорошо, что его нет, — произнесла она. — Дело в том, что на судне произошло убийство.

Капитан молчал, но выражение его лица изменилось.

— Кто по морскому уставу должен производить доследственную проверку? — спросила Вера. — Есть на корабле внештатный дознаватель или тот, кто имеет опыт подобного расследования?

— Бог миловал, — наконец ответил капитан. — А вообще, это обязанности старпома, но у нас его нет. Обязанности старшего помощника сейчас выполняет штурман, — он кивнул на матроса за штурвалом. — У нас полной команды на борту нет. Людей и на полторы смены не хватает. Одна радость, что переходы короткие. Днем ребята отсыпались, а сейчас на вахтах. Никто из них, как мне кажется, от своего места не отходил. Ведь, как я понимаю, убит кто-то из пассажиров?

Вера кивнула.

— Я сейчас же свяжусь по внутренней связи со всеми постами и узнаю, что смогу. Только вы скажите, что я должен спрашивать.

— Узнайте, кто где находился последние полчаса. Но мне кажется, что команда ни при чем, — проговорила Вера. — Потому что убийство произошло в пассажирском отсеке на верхней палубе.

— Оба-на! — удивился штурман. — Неужели самого?

— Нет, Софьин жив, если вы подумали о нем, — сказала Вера. — Хотя я этого еще не проверяла. Убита женщина, которая...

— Из министерства, что ли? — догадался капитан. — Софьин приводил ее сюда, но ей неинтересно было. Да... Вот мы влипли!

— У меня просьба к вам, — начала Вера. — Возможно ли сейчас какого-нибудь матроса, свободного от вахты, поставить у дверей каюты, где все произошло, чтобы никто не вошел и не уничтожил следы преступления, если они есть?

— Свободных матросов у меня нет, и вообще, почему я должен исполнять ваши просьбы, похожие на приказы? — нахмурился капитан. — Вы что, из полиции?

— Нет, но я могу связаться со следственным комитетом в Петербурге, куда вы направляетесь, и там подтвердить мои полномочия.

— О как! — хмыкнул капитан. — Только здесь все равно нет зоны покрытия для вашего мобильного. Когда к берегам Эстонии подойдем, возможно, появится. Я могу, конечно, предоставить радиосвязь, но поверю вам и так. Хотя вы мало похожи на человека, которому следственный комитет может что-то делегировать.

Он еще раз посмотрел на Веру, задержав взгляд на сверкающем синем камне.

— Можете связаться с берегом и передать им, чтобы сообщили в следственный комитет, что на борту находится Вера Николаевна Бережная.

— Да я же сказал, что верю вам, — отмахнулся капитан. — Все равно больше некому убийством этим заниматься. Сейчас вызову кого-нибудь из подменных. А вы идите, сами пока постойте там, я пришлю человека или сам подойду.

— Хорошо. Еще один вопрос: видеонаблюдение работает?

— Нет, то есть камеры установлены, но они не подключены к пульту. Уважаемый судовладелец обещал прислать специалистов сразу после возвращения в порт.

Глава 10

Вера Бережная возвращалась в свой отсек размышляя. То, что убили Герберову, — конечно, трагедия, и если до прихода в порт не будут установлены обстоятельства преступления и выявлен убийца, то потом его не найдут никогда.

С обстоятельствами все более-менее понятно: кто-то вошел в каюту, когда там находилась Элеонора Робертовна, и нанес удар ножом. Хотя убийца мог поджидать ее там или войти вместе с ней... Но поскольку тело лежит головой по направлению к борту, то почти наверняка убийца не поджидал ее там. Но одно ясно точно: они были знакомы. И это тоже глупое утверждение, потому что Герберову знали все пассажиры, и она знала всех. Кого-то лучше, кого-то, вероятно, едва знала, но абсолютно незнакомых для Герберовой людей здесь нет. И потом, вряд ли она среди ночи запустила бы к себе того, с кем не была хорошо знакома. Зная, что ко всем, кроме Софьина и самой Веры, чиновница относилась с явным пренебрежением, можно предполагать все что угодно.

Ко всем с пренебрежением, кроме, пожалуй, Артема Киреева, с которым у нее, очевидно, были близкие отношения. Артем, кстати, выходил из ресторана почти сразу после того, как зал покинула Герберова.

У Герберовой была небольшая перепалка с Борисом Адамовичем Ручьевым, который пренебрег субординацией и начал ей делать замечания. Замечания дельные и справедливые, что, судя по всему, взбесило Элеонору Робертовну...

Вера уже почти подошла к каюте, когда ее догнал капитан.

— Сейчас матрос придет, пару часов он постоит, потом его сменят...

Он в очередной раз недоверчиво посмотрел на Веру.

— А вы и в самом деле из следственного комитета?

— Работала там, — коротко ответила Вера. — Теперь я частный детектив. Но связи остались.

— Меня Григорием Михалычем кличут, — представился наконец капитан. — Фамилия — Шкалик. Можете смеяться, но я привык еще в детстве не обижаться. Последние двенадцать лет работал на сухогрузе в Канадской национальной компании, потом мне предложили перевод на каботажку. А тут как раз от Софьина позвонили с предложением в Карибском бассейне поработать...

Но Вера его почти не слушала, она смотрела на дверь. Обе ленточки скотча были оторваны. Кто-то проникал внутрь. Значит, кто-то уже знает о том, что произошло. Если, конечно, это не сам убийца возвращался. Возможно, он еще там.

— Из каюты можно как-то выбраться, кроме двери?

— В принципе возможно, если быть акробатом или со специальными приспособлениями... — Капитан помолчал, очевидно, представляя, как это можно сделать, и помотал головой: — Но это практически нереально.

— Согласно шестьдесят третьей статье морского кодекса, вы имеете право... — начала Вера.

— Пистолет у меня есть, — не дал ей договорить капитан. — Но он в сейфе, в моей каюте. Теперь я верю, Вера Николаевна, что вы были следователем. Принести оружие?

— Не надо, просто теперь, после того что произошло, держите его при себе.

Вера прислушалась: в каюте было тихо. Вполне возможно, там и не было никого. Если кто-то зашел, то, увидев мертвое тело, тут же выскочил.

Появился заспанный матрос, которому капитан приказал никого в каюту не пускать и никого не выпускать. Из нагрудного кармана рубашки матроса торчала антенна рации.

— А что там? — спросил матрос. — Чего это дверь сторожить?

— Там совершено преступление, — объяснила Вера. — И сейчас мы с вами заглянем туда втроем, чтобы удостовериться, что внутри нет посторонних.

Капитан открыл дверь, вошел первым, следом матрос, который тут же встал, уткнувшись в спину своего начальника. Они вышли, капитан прикрыл за собой дверь и обратился к побледневшему матросу:

— Короче так, Вася, никому и ничего о том, что видел! Ты понял?

Матрос кивнул и спросил:

— А уже известно, кто ее?..

— Сейчас выясняем, — ответил Григорий Михайлович. — А ты оказывай этой девушке всякое уважение и помощь оказывай. На нее теперь вся надежда.

Матрос с уважением посмотрел на Веру Бережную.

— Если я что-то узнаю, то должен сразу вам сообщить?

— И как можно быстрее, — сказала она и вновь обратилась к капитану: — Свободная морская рация найдется?

Капитан Шкалик кивнул.

— Сейчас принесу. Или давайте вместе пройдем на мостик. Только хочу спросить: я должен доложить о происшедшем судовладельцу? Я обязан это сделать. Но когда это лучше сделать, сейчас или же дождемся утра?

Вера задумалась.

— Я сама скажу Борису Борисовичу, а вы принесите рацию.

— Софьин знает, что вы следователь?

— Не знает, и хорошо было бы, если бы не узнал. Если он спросит, зачем вы дали мне рацию, ответите, что я попросила, а вы не смогли отказать.

Капитан направился на мостик, а Вера подошла к каюте Софьина. Постучала. Никто не отозвался. Она постучала громче и крикнула:

— Борис Борисович, это Вера Бережная! Мне нужно вам кое-что сообщить.

Послышались шаги и прозвучал усталый голос олигарха:

— Верочка, что такого срочного могло случиться? Или вы с какой-то приятной целью будите меня среди ночи?

— Откройте! Случилось ЧП.

Софьин некоторое время молчал, а потом немного приглушил голос:

— Не могу, я не один.

— Я знаю, кто у вас. И обещаю сохранить тайну. Или можете девушку спрятать в другой комнате, если мне не верите.

— Ладно. Подождите минуту.

Действительно, прошло не больше минуты, и дверь отворилась.

— Заходите, — недовольным тоном произнес Борис Борисович. — Что у вас за ЧП?

Вера вошла и оказалась в просторном холле с белым кожаным диваном и такими же креслами. На полу лежал белый шерстяной ковер, а возле стола стоял белый китайский столик-бар на колесиках.

— Что такое случилось? — повторил Софьин. — Отвечайте, только быстро.

— Я думаю, что Таня уже сообщила вам, что она видела в каюте Герберовой.

— Какая Таня? — изобразил недоумение олигарх.

— Борис Борисович, на пароходе не так уж много девушек. Раз-два и обчелся. Алиса Иртеньева сейчас рядом со своим мужем, а следовательно, у вас сами знаете кто... А потому я хотела бы поговорить с ней и вами. Не о ваших отношениях, разумеется, меня это не касается и не волнует абсолютно, а о том, что вам известно и что известно Тане Хорошавиной...

Софьин задумался.

— Хорошо, — произнес он. — Но у нас нет никаких отношений, просто девушка зашла к Элеоноре, и то, что увидела там, ее настолько испугало, что она выскочила оттуда, рванула по коридору, проскочила поворот к лифту и начала стучать в мою дверь. Я не ложился, открыл, увидел ее в таком состоянии, начал успокаивать, а тут вы...

Судя по всему, это была неправда, то есть наполовину правда, потому что, когда Вера подошла к его каюте, не было слышно, чтобы Софьин кого-то успокаивал и уж тем более чтобы кто-то рыдал или бился в истерике.

— Это произошло минут десять назад?

— Около того, я не смотрел на часы. Я хотел налить девушке коньяка, потому что другого средства успокоить ее у меня нет. А тут вы...

— Почему она бросилась к вашей каюте, а не к каюте Гилберта Яновича?

— Откуда же я знаю? Но могу предположить, что она просто побежала к лифту, а каюта худрука находится в другой стороне. Пробежала поворот и... Ну я же вам говорил, как это случилось. Кстати, кроме вас, кто-нибудь знает?.. И вообще откуда?..

Софьин замолчал, а потом отступил на шаг.

— Вера, а может, это...

Вера не дала ему договорить:

— Начнем с того, что Элеонора Робертовна, с которой я не встречалась прежде, пригласила меня к себе. Я поднялась и обнаружила труп, после чего сообщила капитану и вам.

— Значит, Шкалик знает уже? И что он намеревается предпринять?

— Он собирается привести судно в петербургский морской терминал на Васильевском острове. Выставил у каюты, где произошло убийство, пост, чтобы не допускать никого внутрь. Больше от него ничего не требуется. Капитан по радиосвязи сообщит о произошедшем в пункт назначения, и нас встретит оперативно-следственная бригада. Никого на берег не выпустят, пока дело не будет раскрыто.

— На сколько это может затянуться? — озабоченно поинтересовался Софьин. — Меня в Москве ждут важные переговоры, я нашел российского спонсора на тот Карибский проект, о котором я вам говорил.

— Думаю, что максимум двое суток. На более длительный срок вас можно задерживать только по решению суда.

— Меня? Вы, Верочка, при всем моем уважении к вам, думайте иногда, прежде чем сказать!

— Простите, я не так выразилась. Я имела в виду, задержат всех находящихся на борту, в том числе и вас, и меня, разумеется. Но мы можем помочь следствию, если сами выясним, кто, где находился во время убийства, которое мы приблизительно знаем.

— Я находился здесь с половины первого ночи. Время убийства мне неизвестно, но за тот срок, пока ко мне в каюту не начала ломиться, как вы догадались, Хорошавина, я успел поработать на компьютере с документами, касающимися Карибского проекта, сделать пару звонков в Штаты — могу предъявить мобильный телефон. Потом мне позвонили из Москвы, с тем чтобы уточнить время начала переговоров.

— Среди ночи позвонили?

— Для бизнеса не существует времени суток. Вот мой мобильный аппарат, я ищу «входящие»... Смотрите...

Борис Борисович поднес свой телефон к самому лицу Веры, ей пришлось даже отстраниться, чтобы разглядеть имя вызывающего и время вызова.

— Час пятнадцать, — подтвердила она. — Там даже написано, кто это вам звонил.

— Кто это, если честно, не ваше дело, потому что это коммерческая тайна. Это просто имя моего спонсора.

— Я прочитала его. Дезик, насколько мне известно, — это Дмитрий Захарович. И этот самый номер у меня тоже есть. Ваш друг и партнер тогда записал мне его на своей визитке, когда мы были в Мюнхене в транзитной зоне аэропорта имени Франца Иозефа Штрауса.

— Исходящие будете проверять?

— Не требуется.

— Да! — вспомнил Софьин. — Еще я принимал душ, на это ушло около получаса. Собирался уже в скором времени укладываться спать, а тут как раз нагрянула Танечка. А потом уж и вы. Вот и все, что я могу сообщить вам, господин следователь. Простите, госпожа следовательница. Вы задаете столько вопросов, Верочка, как будто имеете право это делать. Вы не профессионал, вы просто начитались женских детективов и считаете, будто...

Его тираду прервал стук в дверь.

— Это еще кого черти носят? — удивился олигарх.

— Борис Борисович, — прозвучал за дверью голос капитана. — Это Шкалик. Я принес морскую рацию для Веры Николаевны.

— Значит вы, Верочка, уже подсуетились, — усмехнулся Софьин. — Надо же, сколько в вас энергии! Недооценил я вас. Только бы энергию вашу, да в мирных целях.

Он открыл дверь. На пороге стоял капитан.

— Вы уже в курсе происшествия? — спросил он судовладельца.

— Уже доложили, — ответил Софьин. — Только к вам просьба: не сообщайте больше никому. Представляете, если пронюхают газетчики? Ведь убита не просто женщина, а видный чиновник Министерства культуры.

— Я обязан... — начал капитан.

— Представьте, что вам еще не доложили, а утром мы примем совместное решение, как нам жить дальше.

Шкалик протянул Вере желтую рацию и сказал:

— Возьмите! Это хорошая вещь, там литиево-кадмиевый аккумулятор: связь устойчивая и помех нет.

Вера поблагодарила и поинтересовалась, возможно ли через час с небольшим после выхода из Стокгольма разговаривать по мобильному телефону. А то прежде он уверял, что нет зоны покрытия.

— Часа два прием есть. Потом сигнал становится неустойчивым, а вскоре пропадает окончательно.

— Ступайте, Григорий Михалыч, — махнул рукой Софьин.

Он прикрыл дверь и скривился.

— Вы что же, мои показания проверяли? Мог я позвонить или не мог. Но ведь я даже телефон показал.

— Извините, так получилась. Вопросов больше к вам не будет. Теперь мне бы с Хорошавиной поговорить.

— Зачем?

— Но ведь она обнаружила тело и побежала именно к вам.

— Сколько раз вам говорить, она побежала не ко мне, а вообще убежала оттуда в ужасе! Я не позволю вам травмировать девушку...

Дверь спальни отворилась, и на пороге стояла Таня. Было видно, что она плакала, но выглядела спокойной.

— Я готова ответить на вопросы. Только я ничего не знаю.

Она посмотрела на Веру не мигая. Стараясь держать голову прямо, чтобы казаться уверенной в своих словах.

— Мне удалиться? — спросил Софьин и усмехнулся: — На своем корабле, в своей каюте я должен спрашивать, что мне делать! Бред какой-то!

— Так убийство произошло, Борис Борисович, — ответила Вера. — Кстати, вы не знаете, в каком районе Москвы живет... То есть проживала Герберова?

— Почему я должен знать? — удивился олигарх. — Мы с ней в отношениях не состояли, большими друзьями не были, в гости она меня не приглашала, а я не напрашивался. Зачем мне знать такие подробности? И вообще я хочу спать: у меня с утра опять предстоит работа с документами.

— Мы с Таней можем поговорить и у меня в каюте, — успокоила его Вера.

Софьин пожал плечами:

— Делайте, что хотите, только дайте мне отдохнуть.

Он подошел к двери и распахнул ее.

— Спокойной ночи!

Первой вышла Хорошавина, за ней следом Вера.

— Последний вопрос, — остановилась в дверях.

— Опять двадцать пять! — всплеснул руками олигарх. — Сколько же можно?! Ну, ладно, только один, и я ухожу спать.

— Почему вы отправились в эту поездку и не взяли со собой телохранителей? Сами понимаете, дело не во врагах, не в конкурентах, а в том, что просто какой-нибудь сумасшедший, узнав вас, может напасть прямо на улице.

— На какой улице? В Стокгольме, что ли? Это тихая безопасная страна. А от телохранителей я устал. Надоели они мне! Вы понимаете? На-доели! В Швеции не убивают.

— А вмонтированную в тротуарную плитку табличку с именем шведского премьер-министра помните?

— Это вы про место, где убили Улофа Пальме говорите? Когда это было! Тридцать лет с лишним прошло! Спокойной ночи, госпожа следователь.

Глава 11

Вера пропустила Таню Хорошавину в свою каюту и, прежде чем закрыть дверь, на всякий случай обернулась проверить, не наблюдает ли кто за ними.

— Мы на «ты» или на «вы»? — уточнила Вера, кивком предлагая девушке присесть в кресло.

— Как скажете, — ответила Таня.

Она села в кресло, Вера заняла другое кресло, которое предварительно чуть отодвинула, чтобы не сидеть лицом к лицу и беседа даже в креслах не походила бы на допрос.

— Правда, что в театре все на «ты»?

— Правда, — ответила Таня. — Конечно, мы

не обращаемся так к Скаудеру, к Волкову и к Ручьеву, но к Алексею Дмитриевичу Козленкову по-разному — то так, то этак. У нас еще Кудрявцева есть, тоже пожилая дама. Но она требует, чтобы к ней только на «ты». Правда, она неплохо выглядит для своих шестидесяти. Жалко ее и других, которые вместе с ней с чесом по Норвегии решили. Теперь их уволят.

— За что?

— Так ведь эта...

Таня замолчала, но Вера все поняла.

— Герберова приказала усилить труппу и наказать сепаратистов.

Таня кивнула.

— А вдруг никого не уволят, ведь Элеоноры Робертовны больше нет? — продолжила Вера.

Лицо Хорошавиной вмиг стало пунцовым.

— То есть вы считаете...

— Во-первых, мы же перешли на «ты», — поправила Вера. — А во-вторых, я не считаю, я просто предполагаю, что должна быть причина для убийства. А разве это плохая причина — людям грозит увольнение, им выдадут запрет на профессию, потому что никто не захотел бы ссориться со всесильной Элеонорой Робертовной? Кудрявцевой пришлось бы в консьержи идти или детский театральный кружок возглавлять. А другие, которые ей поверили, навсегда окажутся отрешенными от любимого дела. И все из-за Герберовой, которая куда хуже старухи-процентщицы.

И тут уже не стоит вопрос, как перед Родионом Раскольниковым — тварь ли я дрожащая или право имею... Тут вопрос о святом театральном братстве, в котором каждый должен постоять за всех, за всю актерскую гильдию...

— Нет, нет! — воскликнула Таня. — Этого не может быть! У нас все добрые. Вы же всех их видели.

— Конечно, видела, и все они замечательные, я даже восхитилась вашей дружбой и обязательно, когда буду в столице, приду в ваш театр. Но ведь Герберову кто-то убил! И должна быть причина. Если ты поможешь мне разобраться, то я смогу убедить следствие, что вы все ни при чем.

— А мы и так ни при чем, — Таня задумчиво посмотрела на собеседницу. — А ты что, разве имеешь какое-нибудь отношение к прокуратуре?

— Я была следователем по особо важным делам, — ответила Вера. — Сейчас у меня собственное розыскное агентство, одно из лучших в стране. Может быть, даже самое лучшее. Я в постоянном контакте и с прокуратурой, и с полицией, и со следственным комитетом, потому что иначе не будет никаких результатов. Только о том, что я тебе сейчас рассказала, никому. Ты, как мне кажется, лучше всех в труппе умеешь хранить тайны.

Хорошавина поняла намек, и лицо ее опять стало пунцовым.

— Я никому не скажу, можешь не сомневаться, — кивнула она. — Но только среди наших убийц нет. Я в этом уверена!

Вера задумалась, вернее, продемонстрировала, что размышляет, и сказала уже тише:

— Я тоже так думаю, но ведь у кого-то было более близкое знакомство с Герберовой, чем у остальных? Есть даже один человек, который ее ненавидит за то, что она им пользуется...

— Я не знаю! — потрясла головой Таня. — Я не понимаю, о ком ты говоришь.

— Ну и ладно, — улыбнулась Вера. — Другие об этом, как и ты, вероятно, не догадываются. А ты мне лучше расскажи, зачем ты решила к Герберовой вернуться? Хотя давай по порядку с того момента, как ты с Сергеем Иртеньевым принесла сюда закуски, вы выставили их на стол... Что было потом?

— Мы сразу ушли.

— Но вернулись в зал через двадцать минут или даже больше.

— Да мы не сразу спустились туда, потому что Сергей сказал, что заскочит к себе, а я решила вообще не возвращаться. Была у себя в каюте. А потом вспомнила про подносы и решила вернуть их в ресторан. Спустилась вниз, встретила вас, а снова вернулась к себе...

— Погоди! Ты вернулась к себе не сразу. Отдала подносы, но тебя уговорили посидеть со всеми, и только потом ты вернулась, но не к себе, а направилась к Элеоноре Робертовне. Ведь так? Зачем?

— Не знаю, — прошептала Таня. — Хотела поговорить с ней...

Она опять начала трясти головой.

— Я понимаю, ты устала, пережила стресс, — мягко проговорила Вера. — Сейчас уже заканчиваем, и ты пойдешь отдыхать. Уже давно пора спать.

— Я привыкла ложиться поздно.

— Что тебе Сергей Иртеньев рассказал, когда вы возвращались?

— Откуда вы.. То есть ты... — Таня смешалась и добавила: — Он мне ничего не говорил.

— Успокойся. Я не считаю его убийцей и вообще способным на такое, но чтобы снять с него подозрения, ты должна рассказать.

— Хорошо, — кивнула Таня. — Он точно не убивал. Но когда мы вышли из ее каюты, Сергей сказал, что на своем курсе был лучшим и никогда не мог представить, что будет исполнять роли «кушать подано», а тут не на сцене, а в жизни приходится быть лакеем.

— Это все?

Хорошавина молчала.

— Тогда он признался, что давно хочет убить Герберову? — предположила Вера.

— Все не так! Просто его трясти стало, он чуть не плакал. И я дошла до его номера... То есть до каюты, зашла, чтобы успокоить. Он признался, что Герберова действительно попользовалась им. Они же с Алисой учились вместе, поженились на третьем курсе, в общаге вместе жили. Теперь вот снимают квартиру рядом с театром. Аренда стоит дорого, и тогда Федор Андреевич пошел в Минкульт к Герберовой договариваться, чтобы Сереже и Алисе предоставили социальную квартиру. Элеонора Робертовна ответила, что вопрос решаемый, только пусть Сергей сам к ней заскочит, то есть встретит после работы, и они обо всем договорятся...

— Она привезла его домой и поставила условие?

— Так и было. Сережа сказал мне, что отказался и хотел уйти. Но потом вспомнил, как им тяжело, и решился. Герберова его только утром отпустила. Заставила отключить мобильный, чтобы Алиса не тревожила звонками. А утром, когда он спросил, можно ли им надеяться, Герберова посмеялась и ответила, что надежда — хорошее чувство, а вообще-то пусть теперь и Алиса к ней придет. Он вернулся домой и все рассказал Алисе. Больше они о квартире не заикались и сказали Волкову, чтобы он не беспокоился о них... Зря я, наверное, вам об этом рассказала.

— Да я сама вчера видела, как Алиса смотрела на Герберову.

— А как на этого монстра смотреть иначе? — вздохнула Таня. — Ее все ненавидят. Даже Гибель

Эскадры ее терпеть не может и боится! Все же понимают, как мы эти гранты получаем.

— Понимаете или знаете?

— Какая разница! Про откаты даже по телевизору говорят. Если дорогу надо построить за государственный счет, то чиновник, который в мэрии заведует дорожными работами, требует откат, школу построить — та же самая схема, фильм снять на бюджетные деньги или грант на новую постановку в театре получить — все то же самое.

— К тебе Герберова приставала?

— Приставала. Но она ко всем нашим молодым, даже к Стасику Холмскому, приставала, а тот, если ты заметила...

— Заметила.

— Ну, вот. А если вам про кого-то еще известно...

— Известно про одного актера, про которого ты не хотела говорить.

Таня подумала и кивнула.

— Так он один за всех и отдувается. Думает, что никто не догадывается. Герберова одно время к нам на репетиции зачастила. Все поняли. А что еще такой начальнице на репетициях делать? Вот если на прогон пришла бы, понятно, а то сидит и разглядывает мускулатуру Артема... Ну вот и проговорилась я! — вздохнула Таня.

— Я знаю все и слышала, как она издевалась над ним, унижала... — призналась Вера.

— Но это не он точно! — горячо заверила Таня. — Артем ведь в зале оставался. Когда мы с Сережей Иртеньевым эти дурацкие подносы поднимали к ней.

«Наивная девочка, — подумала Вера. — Она не знает, что Киреев выходил из ресторана и пропадал достаточно долго».

— А ты видела, куда закатился нож, который отбросил Алексей Дмитриевич?

— Да.

— А кто его поднял?

Хорошавина задумалась, припоминая, и пожала плечами:

— Не знаю, этого я уже не видела.

Глава 12

Вера проводила Таню до ее каюты. Перед тем как войти внутрь, девушка сжалась, долго не решаясь переступить через порог, и призналась, что теперь боится увидеть там что-то очень страшное.

Вера вошла одна, заглянула в туалетную комнату.

— Все нормально, — сказала она. — То есть не совсем нормально: все поразительно чисто прибрано.

Татьяна несмело вошла внутрь и осмотрелась.

— Все в порядке. Это у меня теперь мания такая: все за собой убирать. А то однажды произошел со мной мистический случай. Я заснула дома, а перед тем у меня гости были, а потому кавардак полный: со стола не убрано осталось, в кухонной мойке гора посуды стояла и вообще одежда разбросана... Я решила на минутку прилечь, а потом убраться и заснула. Открыла глаза утром: солнце за окном сияет и квартирка моя сияет чистотой, которой не было в ней никогда. Ну, думаю, крыша съехала, сама чистоту навела и забыла. Сама, конечно, больше некому. Только не помню, как это было. С тех пор если вижу соринку какую, тут же смахну, пообедаю — сразу тарелку за собой мою. Одежду сниму и сразу на вешалках развешиваю... И так далее.

— Хорошая привычка, — улыбнулась Вера.

Пожелав Тане спокойной ночи, она направилась к ресторану.

Как ни странно, компания еще не разошлась. Волков, Козленков, Ручьев, Артем Киреев и Сергей Иртеньев, к которому прижималась Алиса, с трудом борясь со сном.

— Картина двадцать седьмая! — воскликнул Козленков. — Те же и просто красивая женщина.

— Присаживайтесь, барышня, — сказал Волков и указал на место рядом с собой. — Без вас и не пьется вроде.

Волков выглядел усталым, но почти трезвым. У Козленкова глаза были мутные, но голос твердый. Ручьев, очевидно, присутствовал за компанию, так же как и Алиса, не желающая оставлять мужа одного. Самым пьяным, пожалуй, смотрелся Киреев.

— Вам шампанского или вискарика? — поинтересовался Козленков.

— Спасибо, ничего не хочу.

— Сочувствую, — произнес Волков. — Битый час с этой чиновничьей грымзой вино пили. Хорошее хоть бордо?

— Откуда вы про бордо знаете?

— Случайно слышал, когда протанцовывал мимо, — усмехнулся он.

— Не сподобилась пить бордо. Зато с капитаном познакомилась...

— То-то я гляжу, какая-то желтенькая штучка у вас в руках. На мобильный телефон похожа, а не телефон.

— Это рация морского диапазона, другими словами, корабельная рация для связи членов экипажа между собой.

Вера попыталась вспомнить, с кем танцевал Волков, пока она разговаривала с Герберовой. Получалось, что только с Алисой. Но почему-то Вера не могла это вспомнить. Неужели Элеонора Робертовна так заболтала ее, что... Впрочем, Волков тогда же и вернулся. Не может он быть убийцей. А еще из зала выходили Ручьев и Козленков. Алексей Дмитриевич уверял, что курил у борта и восхищался темнотой над морем. Возможно, именно в это самое время кто-то убивал Герберову. А где был Ручьев?

— Борис Адамович, — обратилась Вера к Ручьеву, — я слышала про театр «Ручеек» и даже не знала, что вы им руководили, не догадывалась, что именно из него получился нынешний «Тетрис», в котором вы теперь рядовой...

— Какой же он рядовой? — не дал ей договорить Козленков. — Борис Адамович у нас генерал!

— Сбитый летчик, — усмехнулся Ручьев.

— Не слушайте его, — продолжил Козленков. — Все вернется на круги своя, я вас уверяю: Герберовы не вечны — будет и на нашей улице праздник!

— А при чем здесь Элеонора Робертовна? — спросила Вера, подбираясь к нужной теме.

— Как при чем?! Она ведь не только в своем министерстве управляет департаментом, она и в нашем театре всем командует. Да и не только в нашем. Она сначала «Ручеек» подняла, нашла спонсора, спонсор для нас купил здание кинотеатра без внутренней отделки. Все там скоренько оборудовал и даже отдельный этаж надстроил, чтобы были и грим-уборные и малая сцена для репетиций. Даже сауну для артистов оборудовал. А потом Элеонора Робертовна после «Чердачного ангела» такую шумиху в прессе организовала, якобы отреагировала на письма возмущенных зрителей. А все почему? Якобы голубь на кого-то нагадил! Ни на кого никакой голубь не мог нагадить! У нас там москитная сетка была натянута.

Чтобы птицы особо не разлетались и вообще... Просто она уже изначально рассчитывала поставить на наш театр Скаудера, чтобы потом с ним деньги дербанить. Она ведь и Борису Адамовичу подобное предлагала, но он отказался.. Ведь было такое, Боря?

— Да хватит вам! Было или не было! Какая разница? — с неохотой отозвался Ручьев. — Что теперь с того? Это как в старой песней поется: «Все, что было сердцу мило, все давным-давно уплыло...»

— Но ведь эта... — Козленков даже захлебнулся от возмущения, но вспомнил о присутствии дам, сдержался и продолжил уже спокойнее: — Она ведь тебе, Боря, можно сказать, жизнь поломала! Неизвестно откуда появилась такая вся из себя резвая и бодрая. Хотя мы, конечно, понимаем откуда. Но не успела кресло в министерстве занять и сразу наш театр таким вот образом под себя подмяла. И ведь не только наш! Просто наш почему-то особенно полюбила.

— За ней стоит кто-то, — подал голос Иртеньев. — Кто-то с очень большой волосатой лапой.

— А по ее роже не скажешь! — распалялся Алексей Дмитриевич. — Кто на такую крысу позарится?

Вера украдкой наблюдала за молчаливым и мрачным в разговоре Киреевым, который казался вовсе отсутствующим. Он смотрел в сторону и почти клевал носом.

— Неужели ее приструнить никто не может? — уже спокойно произнес Козленков.

— Мы пойдем, пожалуй, — поднялся из-за стола Иртеньев. — Алиса уже засыпает.

— Да-да, — ответила его жена. — Слишком много впечатлений за последнее время. Мы с Сережей, вообще, впервые заграницу увидели.

Иртеньевы направились к выходу.

— Артема прихватите, — попросил их Волков. — А то его развезло ни с того ни с сего. Никогда его таким не видел.

Сергей подхватил друга за талию, приподнял его, Алиса взяла Киреева под руку.

— Пойдем.

— Что вы со мной как с маленьким? — вдруг очнулся Артем. — Сам дойду как-нибудь!

Втроем они направились к выходу. Тут же поднялся Ручьев.

— Пойду им открою. А то вдруг Киреев ключи в каюте оставил или потерял. Мы же с ним вместе едем.

Он поспешил следом за молодыми артистами. В дверях обернулся и крикнул:

— Пожалуй, что уже не вернусь. Лягу спать, а то уже пять часов утра. Счастливо оставаться, алкоголики.

— Как пять часов? — удивился Козленков. — А мы еще и песен не пели.

— Пели, — успокоила его Вера и напомнила: — Посылает судьба испытанья только тем, кто достоин любви.

Алексей Дмитриевич покивал, после чего поднялся.

— Ну, раз у вас больше ничего нет, то я, пожалуй, тоже пойду.

Он поднялся, но не уходил, стоял и смотрел на Волкова, а тот смотрел на него снизу вверх.

— Ты что-то хочешь? — наконец обратился к другу Федор Андреевич.

— Конечно, хочу. Хочу, чтобы ты не делал глупости. Седьмой десяток тебе — не забывай.

— Ладно, — произнес, поднимаясь, Волков. — Вместе пойдем, старый ревнивец.

Козленков довольный отправился к выходу.

— Оставайтесь, — шепнула Вера народному артисту. — Разговор есть.

Федор Андреевич напрягся, посмотрел в спину уходящему другу и шепотом поинтересовался:
— Важный разговор будет?
— Более чем.

— Ну, ладно, останусь, — согласился Волков. — Раз уж мы с вами здесь самые стойкие, посидим еще немного.

Он опустился на стул, с которого только что поднялся.

— Федя! — раздался крик Козленкова, который замер в дверях. — Не делай глупостей! Тебе уже шестьдесят три и у тебя тромбофлебит.

Волков в ответ махнул рукой и крикнул:

— Проваливай, завистник!

Козленков погрозил пальцем и ушел.

— Хорошо выглядите, Федор Андреевич, — сделала комплимент Вера. — Но я вас задержала не для того, чтобы продолжать веселье. Как раз наоборот. Хочу сообщить пренеприятное известие... Простите, но хочу на полном серьезе поделиться с вами новостью трагической и крайне неприятной.

— Умер, что ли, кто?

Вера кивнула.

— Да. Человека убили.

Волков молчал, но на лице его не отражалось никаких эмоций, как будто он ждал именно такого известия.

В этот момент запиликала рация. Вера отошла в сторону и нажала на кнопку.

— Вера Николаевна, — прозвучал голос капитана. — Я сообщил в порт прибытия. Потом со мной связались из службы безопасности порта, я сообщил им вашу фамилию. И только что мне подтвердили ваши полномочия... Вы слышите меня, Вера Николаевна?

— Прекрасно слышу. Еще вопросы ко мне есть?

— С телом что делать? Может, в ресторанную морозильную камеру положить?

— Чуть позже свяжусь с вами, но думаю, что

осталось немного идти — чуть больше суток, так что с телом ничего не случится.

— Если что, я могу увеличить ход на пяток узлов.

— Решайте сами, вы капитан. А я пока займусь своим делом.

— Тогда отбой! — закончил разговор капитан Шкалик.

Вера вернулась к столу и посмотрела на Волкова, который слышал весь разговор.

— Скаудера убили? — спросил Федор Андреевич.

— Почему вы так подумали?

Волков пожал плечами:

— А кого ж еще? Его же никто не любит, даже Стасик Холмский. Но Стасик — несчастный, одинокий парнишка, у которого съехала крыша от одиночества. А Гибель Эскадры этим пользуется, гад. Он — никакой не гений. Не скажу, что полный бездарь, но... Так это его убили?

Вера покачала головой.

— Жив и здоров ваш Скаудер, я надеюсь. Так что успокойтесь.

— Тогда кого убили? Гилберт, разумеется, подлец еще тот. Гадостей театру сделал много, репертуар поломал. От того, как мы предстаем на сцене, нас самих тошнит, но народ валом валит: в фойе трех бронзовых, простите за откровенность, лесбиянок установили... Так теперь всяк входящий их за бронзовые сиськи хватает и по ягодицам хлопает. Это что, по-вашему, храм искусства?

Федор Андреевич замолчал, заглянул в глаза своей собеседнице.

— Кого же тогда грохнули, если не Гилберта? Наших-то вроде не за что? Неужели самого?

Волков поднял глаза к потолку, а потом показал на потолок пальцем.

— Не надо гадать, — покачала головой Вера. — В своей каюте обнаружена убитой Элеонора Робертовна Герберова.

Волков оторопел.

— Вот это сюжетный поворот! И ведь если кто из наших видел убийцу, то никогда его не сдаст. Уверяю вас в этом! По крайней мере, я сам никогда не сдал бы. Не скажу, что расцеловал бы убийцу, но не выдал бы следствию. Как хоть ее порешили? Простите меня за любопытство.

— Ножом. Тем самым, который приобрел ваш друг Козленков в Осло. У меня были сомнения до тех пор, пока я не вернулась сюда. Но я для того и пришла, чтобы убедиться, что ножа здесь нет. Нож валялся вон там, где мы с Софьиным сидели. Сейчас его там нет и на столах не видно тоже, следовательно, кто-то поднял оружие, чтобы воспользоваться. Вы случайно не видели? Как это было проделано или как кто-то держал этот нож в руке?..

— Не видел, но... Уверяю вас, что Леха Козленков никакого отношения к этому делу не имеет. Он по природе своей трусливый. Не то чтобы трус, но не орел — я в этом смысле говорю. Мы по молодости дрались иногда, я — часто, Боря Ручьев изредка, а Алексей — ни разу. В конце восьмидесятых мы втроем сидели в ресторане ВТО, и к нам какая-то шпана прицепилась... Скорее всего, узнали именно Алешку, он ведь у нас профессиональным Иваном-царевичем был. Короче, слово за слово и сцепились. Борю с первого удара вырубили, я держался какое-то время... Самое противное, что собратья по цеху, что сидели в зале, наблюдали или просто ушли: все бандитов боялись. Спасибо, двое парней из Питера в этот момент в зал вошли. Увидели, что трое одного метелят, и встряли за меня. Те не ожидали, даже почти не сопротивлялись, сразу рванули к выходу. Но мне тогда нос свернули, оба глаза распухли, челюсть набок. Боря пришел в себя — тоже с фонарем приличным, а Козленков плакал весь вечер: «Ребята, простите меня, я очень испугался». Потом питерские к себе в гостиницу позвали: с ними до утра сидели. Бизнесменами те ребята оказались. Один, кстати, вот эту самую песню и пел про счастье. Он прежде поэтом был, но пошел в бизнесмены, потому что жена заколебала — красивой жизни ей хотелось Не знаю, жив ли он или нет, но по гроб жизни не забуду ни его, ни его песню..

— Мы отвлеклись, — вернула разговор в нужное русло Вера. — Я не обвиняю никого и Алексея Дмитриевича в том числе. Я не прошу, чтобы вы сами искали кого-то. Просто мне надо выяснить по времени, кто где находился. Знаю точно, что вы были здесь постоянно. А другие входили и выходили. Я не следила за их передвижениями, кто же знал, что такое может случиться?

— А кто обнаружил тело? — поинтересовался Волков.

— Я и обнаружила. Вы же слышали, как Элеонора Робертовна позвала меня пить бордо. Поднялась к ней и увидела ее на полу с ножом в сердце.

— Бутылка бордо была?

— В том-то все и дело, что не видела я этой бутылки. Ни на столе, ни на полу, ни в мини-баре. Вряд ли ее забрал убийца. Во-первых, зачем убивать и брать вино с собой? А во-вторых, это же улика. Мне кажется, что этого вина не было вовсе: просто Герберова решила меня заманить к себе зачем-то, выдумала наличие у нее дорогого и всем известного вина.

— Я могу только предполагать, зачем она вас заманивала, — проговорил Волков. — Она дамочка извращенная. То есть была таковой. Но ведь и вы не маленькая глупенькая девочка, чтобы не понимать...

— Не будем отвлекаться. У каждого в вашей труппе, как я установила, была причина расправиться с Элеонорой.

— Про всех не стану утверждать, но я думал об этом, и не раз. В своих мыслях я, разумеется, так далеко не заходил, но выдумывал всякие способы. А другие?.. Но вы хотите узнать, кто именно?

— Но ведь кто-то сделал это! — сказала Вера. — Я про себя знаю, что не делала. Вы тоже отсюда не отлучались. Круг подозреваемых становится все уже.

— А может быть, это кто-то из команды? Матросы? — предположил Федор Андреевич.

— Вряд ли. Они во время плавания все на своих объектах, есть, разумеется, свободные от вахты, но капитан уверяет, что все моряки вымотаны этим переходом, спят вне службы. И потом, какой смысл кому-то из команды убивать чиновницу из Министерства культуры? Ограбления не было. Брильянты Герберовой на месте, деньги на месте, хотя там очень небольшая сумма — вряд ли и две тысячи наберется, если считать в американской валюте. За такую сумму убивать, зная, что тебя могут вычислить, никто не будет. Пластиковые карты тоже на месте.

— Кто же тогда это мог сделать?

— Федор Андреевич, давайте будем до конца откровенными друг перед другом. Мне известно, что Артем Киреев был принужден Элеонорой Робертовной к сожительству. Не к совместному проживанию, как вы понимаете, а к неоднократному сексу по принуждению. Чем она его запугала, не знаю, но я сама была случайной свидетельницей их отношений.

— В каком смысле? — не понял Волков.

— В том самом смысле, что из коридора своими ушами слышала, как Герберова выговаривала Артему в достаточно жестком тоне. И он терпел. Из своей практики знаю, что так терпеть может человек, на которого есть определенный компромат. Вам известно, на чем Элеонора его зацепила?

Волков некоторое время молчал, но потом кивнул.

— Догадываюсь. Но это не моя тайна.

— Наркотики?

Волков неохотно кивнул.

— Предполагаю, что Артема взяли за распространение? — произнесла Вера. — В театр приезжали из госнаркоконтроля, беседовали со Скаудером или с вами...

— Со мной, потому что Гилберт был тогда в Лондоне.

— Узнав, что произошло с Киреевым, вы бросились помогать. Наверняка подняли свои связи в полиции. Скорее всего, вам отказали... Вы понеслись к Герберовой, и она решила дело.

— Точно так и было.

— А потом она вызвала к себе Артема... Нет, скорее всего, она приехала в театр и, оставшись с Артемом наедине, сказала, что дело прикрыто и будет прикрыто до тех пор, пока она этого хочет. Если он будет отказывать ей в маленьких удовольствиях, то очень быстро поедет на зону, где будет оказывать удовольствие уже не таким приятным людям, как она.

Волков кивал, склоняясь головой все ниже и ниже, словно выслушивал обвинение.

— Что она говорила — не знаю, но очень похоже, что вы близки к истине, — вздохнул он. — Но уверяю, что Артем не может быть убийцей!

— Вы знаете, где живет... жила Герберова? — перевела тему Вера.

— В центре, в Елисеевском переулке. Как раз между памятниками Ростроповичу и Низами. Неподалеку дом артистов МХАТа, но у нее тоже очень престижный, там еще переход рядом с желто-белыми полосками.

— Сколько минут пешком до здания Министерства культуры?

— Не знаю, минут десять, наверное, но она всегда на машине ездила.

— Вы были у нее дома?

— Один раз с Гибелью Эскадры. Он меня с собой притащил, якобы он ее боится, а договариваться надо. Только разговора не получилось. При мне, по крайней мере. Мы о том о сем лясы поточили, она угостила нас коньячком — по рюмочке всего и выпили. Потом Гибель Эскадры остался, а я удалился. Вышел на Тверскую, дошел до метро «Охотный Ряд» — это совсем рядом — и домой, к жене.

— Как у нее дома?

— В смысле, какая обстановка? Если скажу шикарная, то это будет явная недооценка. Я — народный, бываю в домах других народных, в том числе с европейской или даже мировой популярностью, многие из них руководят труппами прославленных театров, но ни у кого такой роскоши нет. Квартира большая — четыре комнаты. Хотя, может быть, три комнаты небольшие, зато гостиная — огроменная: в ней даже белый рояль «Стенвей» стоит. А Герберова играть совсем не умеет. Сказала, что для гостей держит, потому что у нее бывают известные исполнители, которые горят желанием порадовать хозяйку. Но мне кажется, она специально меня позвала через Гилберта, чтобы унизить. Она ведь помнит нашу с женой квартирку и наверняка решила, что умру от зависти, расскажу жене и она тоже умрет. Но я даже не сообщил дома, где побывал. Человеку не двухсотметровая квартира с роялями нужна и не два аршина земли, как считают некоторые скептики, а весь мир.

— Что ж, спасибо, Федор Андреевич, — сказала Вера. — Поздно уже.

Она поднялась на ноги.

— Я провожу вас, — встал следом Волков.

— Не надо, я хочу на воздух выйти, посмотреть, как солнце встает, ведь мы идем прямо на него.

— Тогда тем более я постою с вами. Только заскочу в каюту, прихвачу плед, чтобы вы не замерзли. Ветерок с моря задувает промозглый. Я это почувствовал, когда мы еще на заходящее солнце шли.

Они поднялись к каюте, которую Волков делил с Козленковым. Федор Андреевич зашел внутрь на несколько секунд и вернулся с шотландским пледом.

— Это точно не Леха сделал, — уверенно произнес Волков, — Козленков спит сейчас сном младенца и чмокает во сне губами. Разве убийца может спать так спокойно и безмятежно?

— А вы не видели, куда Козленков свой нож выбросил, когда каяться пришел?

— Как я мог видеть? Я же вроде как на дне моря лежал с дырой в груди и жаждой мести.

— И кто тот нож поднял, тоже не видели? — допытывалась Вера.

Волков покачал головой.

Они поднялись на третью палубу. В коридоре на стуле возле двери, за которой лежало тело Герберовой, дремал матрос. Услышав шаги, он встрепенулся, но Вера была уверена, что, едва они пройдут, паренек вновь закроет глаза, но замечания делать не стала.

Вера и ее спутник вышли на воздух. Красное солнце уже поднималось из воды.

— Действительно, человеку нужен весь мир, — вспомнила недавний разговор Вера.

— И любовь, — негромко произнес Федор Андреевич.

Перед тем как вернуться в каюту, Вера зашла на ходовой мостик. Капитан Шкалик стоял у приборов, штурман спал в кресле.

— Занимаюсь любимым делом. Веду корабль по курсу, хотя это мне только кажется, что веду я, а на самом деле ведут приборы, за которыми я просто с восторгом наблюдаю, — поделился капитан. — Вот система предупредительной сигнализации при подходе судна к очередной путевой точке, вот сигнализация о выходе судна на опасную глубину, средство автоматической навигационной прокладки, система управления судном по курсу с автоматически срабатываемым сигналом, когда судно отклоняется от курса... А это автоматическая навигационная система. Вы бывали когда-нибудь прежде на ходовом мостике?

— Один раз, три часа назад, когда познакомилась с вами, — усмехнулась Вера.

— Завтра я покажу вам все судно, — пообещал Шкалик. — Вы даже не представляете, как я люблю свою работу!

— Представляю. Я тоже не могу жить без своей. И актеры, которые сейчас спят в каютах, тоже занимаются любимым делом. И матросы ваши наверняка. Хотелось бы думать, что и Софьин любит то, чем он занимается.

Григорий Михайлович не ответил. Он показал на солнце, поднимающееся из-за горизонта.

— Самое красивое зрелище, которое я видел в своей жизни. И ведь сотни раз видел! Представляете, какое это счастье видеть солнце, встающее над морем? Как жить без этого?

Он молчал, молчала и Вера.

— Вы замужем? — спросил вдруг капитан. — Кольцо на вашем пальце я видел, но в наше время оно ничего не значит. То есть для кого-то оно значит все, а для кого-то... Некоторые незамужние дамы его носят, чтобы казаться солиднее... — Он смешался и неловко закончил: — Извините, если что-то не так.

— Я замужем, — ответила Вера. — Только мужа не видела очень давно. Я в Швецию спешила, чтобы встретиться с ним. Но не получилось, и я по-прежнему не знаю, где он и что с ним.

Глава 13

Утром Веру разбудил звонок будильника, который она установила на мобильном телефоне. Хотя утро уже было в самом разгаре, в окно било солнце, но вылезать из постели все равно не хотелось. Она лежала и вспоминала все, что произошло в течение ночи. Кто же все-таки убил Элеонору Робертовну Герберову? Этот вопрос не давал Вере покоя.

Таня Хорошавина не могла. То есть могла, конечно, как и всякий другой, который отсутствовал в момент убийства в ресторанном зале... Но ее алиби подтвердил Сергей Иртеньев, а Таня создала алиби ему. Они, конечно, могли убить Герберову и вдвоем, а потом уверять, что были в другом месте, но, судя по всему, Хорошавина не врет: у нее очень открытое лицо, и любую ложь Вера сразу бы распознала. Если вычеркнуть из подозреваемых этих двоих, кто остается?

Софьин Борис Борисович. Олигарх был в своей каюте, принимал душ, разговаривал по телефону. Но это до убийства. Он, конечно, мог выйти, заскочить в каюту Элеоноры, предварительно взяв со стола брошенный и забытый всеми охотничий нож, ударить этим ножом чиновницу и удалиться как ни в чем не бывало. Только зачем это ему? Зачем подставлять под подозрение себя самого, свое судно, а главное — свой Карибский проект, который имеет для него сейчас первостепенное значение? А главное: такие люди, как Софьин, никогда и никого не убивают собственными руками.

Козленков спал как младенец, что, по мнению Волкова, подтверждает его невиновность. Крепкий сон — это, разумеется, не довод, но Алексей Дмитриевич вернулся в общий зал абсолютно спокойным, что, учитывая его характер и темперамент, вряд ли могло быть, если бы за пять минут до этого он зарезал женщину купленным при свидетелях ножом.

Иртеньевы. И у Сергея, и у Алисы есть повод желать Герберовой смерти, она так посмеялась над их бедственным положением. Молодые актеры снимают квартирку, отдавая за нее, вероятно, половину того, что зарабатывают оба, а Элеонора вряд ли на свой оклад приобрела хоромы стоимостью в несколько миллионов долларов. И Сергея она к себе пригласила не для того, чтобы помочь, как обещала, а фактически надругаться над обоими Иртеньевыми. Мог он убить? Мог, конечно. Но Таня Хорошавина обеспечила Сергею алиби. Могла убить Алиса? Могла, и ее алиби никем не обеспечено.

Еще есть Артем Киреев, Гилберт Янович Скаудер и Стасик Холмский.

С ними надо беседовать. Хотя вряд ли убийца Холмский. И сложно представить, что женщину хладнокровно зарезал Гибель Эскадры. И причин убивать чиновницу у них вроде как нет.

Возможно, у Скаудера были какие-то дела с Элеонорой Робертовной...

Вера вспомнила о пластиковой папке, что вчера забрала из каюты убитой. Поднялась и достала ее. Начала просматривать документы. Половина бумаг была скомкана, а некоторые даже разорваны. Потом листы были расправлены тщательно, а разорванные склеены узким прозрачным скотчем.

Это были отчеты Скаудера о расходовании средств по предоставленным театру двум грантам. Расходы были огромные, около трехсот миллионов. Очевидно, этот отчет кому-то не понравится, и тот, кому он не понравился, скомкал бумаги и пытался разорвать. А у кого отчет мог вызвать такой приступ ярости? Скорее всего, у Герберовой, которой он и предназначался. Скомкала, разорвала, а потом склеила и решила ознакомиться с ним получше. Очень похоже на то, ведь бумаги хранились в ее чемодане. Очевидно, Гибель Эскадры вручил их здесь, на судне, иначе зачем ей потребовалось тащить документы с собой из Москвы в заграничную командировку?

Но все это можно узнать у самого Скаудера, пригрозив, что в случае его молчания в театр придет серьезная проверка Министерства культуры и налоговых органов. Признается, потому что деваться будет некуда. Но признается он в хищении государственных средств, а не в убийстве. На убийцу он не похож.

Но почему вдруг убийца должен быть похож на убийц, которых показывают в фильмах? Вера уже не единожды видела, как убийцами оказывались совершенно безобидные на первый взгляд люди.

Вера подошла к окну, за бортом плескалось море.

Но если предположить, что Гибель Эскадры не убивал Герберову, тогда остается один главный подозреваемый — Артем Киреев, которого Элеонора Робертовна шантажировала, заставляла сожительствовать с собой и унижала, испытывая наслаждение от того, что крепкий мускулистый парень не может ответить. Унижение — достаточно веская причина. Хотя стоит ли из-за этого убивать человека, тем более женщину, с которой спишь?

Но все равно пока получается, что Артем Киреев — основной подозреваемый. Впрочем, все это лирика, умозаключения и домыслы, пока нет мотива, свидетелей и доказательств — оснований для подозрений нет.

Велось бы видеонаблюдение, тогда бы дело было раскрыто сразу. Выходит, кто-то знал, что камеры не работают. Тогда это мог быть кто-то из команды. Остается надеяться, что на ноже оставались отпечатки пальцев, и надо ждать швартовки и прихода экспертов.

Пропиликала рация. Вызывал капитан.

— Не разбудил вас, Вера Николаевна? — поинтересовался он.

— Не сплю, любуюсь солнцем.

— Докладываю: на море почти полный штиль, ночью шли с почти предельной скоростью — двадцать пять узлов. Полтора часа назад судовладелец, узнав об этом, устроил мне разнос за излишний расход горючего. Сейчас скорость двадцать, но все равно график опережаем на два часа, кроме того, постановка в порт из-за происшествия на борту пройдет быстрее обычного. Так что осталось до швартовки менее двадцати часов. Позавтракать со мной не желаете, Вера Николаевна?

Завтракали в кают-компании. Капитан жаловался, что на борту нет кока, из-за чего приходится разогревать готовые обеды. Команда, по его словам, неприхотлива, и хорошо еще, что пассажиры на нечто особенное не претендуют.

— Вчера вечером мне показалось, что стол был вполне приличным: колбасы, сыры, даже угорь копченый, — вспомнила Вера.

— Просто штурман сгонял во Фрихамнен — это ближайший к центру Стокгольма порт, где есть оптовый склад, и закупил деликатесы на обратный путь. А готовили и накрывали на стол девушки из театра. Они же и подают в каюту судовладельца.

— Обе или одна из них? — уточнила Вера.

— Не знаю точно, но мне кажется, что одна приносила еду Софьину, а другая убитой дамочке.

Выходит, Таня наверняка знала, за какой дверью находится Софьин, и стучала не просто так в первую попавшуюся... И потом, если бы она убила, какой ей смысл подниматься в каюту Герберовой еще раз, открывать дверь, срывая полоски скотча, а потом, обнаружив тело, мчаться к Софьину и рыдать?

После завтрака поднялись на ходовой мостик, и Вера Бережная по радиосвязи позвонила Окуневу. Тот, как выяснилось, продолжал искать информацию, связанную с Борисом Борисовичем Софьиным.

— Похоже, что он не так богат, — доложил Егорыч. — Далеко не беден, разумеется, но долгов за ним числится немало. Его подкосил развод, потому что был составлен брачный контракт, по которому жена в случае их расставания получала бы половину. Сколько она получила на самом деле, установить не удалось. Вообще, про развод я прочитал в разных источниках. В основном желтая пресса пишет всякую чушь. Но очень похоже на то, что развод фиктивный, по крайней мере, Софьин до сих пор не женат и бывшая супруга тоже, хотя ей пятьдесят исполняется в этом году. Да и он мог бы кого-нибудь приглядеть. Для мужика пятьдесят пять — не возраст.

— Ближе к делу, — попросила Вера.

— Очень похоже, что за ним кто-то стоит. Вернее, он при ком-то. Скорее всего, его патроном является небезызвестный Дмитрий Захарович Иноземцев — бывший министр, сделавший огромное состояние и не засветившийся при этом ни в каких скандалах. Скандалы, разумеется, были, но быстро гасли — пресса не успевала ничего отследить. Софьин был при нем долго, подбирал крошки, падающие со стола, когда резали пирог, и сумел сделать себе состояние.

— Это понятно. Продолжай копать, Егорыч, времени у нас в обрез — меньше двадцати часов. Узнай пока все, что возможно, об Элеоноре Робертовне Герберовой. Был ли у нее муж, есть ли дети? Слухи, скандалы... Да ты и сам знаешь, что искать...

Вера спустилась в свой отсек и сразу увидела Таню, девушка подходила к каюте Софьина с подносом в руках. Увидев Веру, она задержалась.

— Пришла в себя немножко? — участливо поинтересовалась Вера.

Таня кивнула.

Вера сама постучала в дверь олигарха, потому что у девушки руки были заняты подносом с завтраком. Софьин открыл и не удивился тому, что они вдвоем. Он был угрюм и вместо приветствия просто сухо кивнул обеим. Он указал Вере на кресло у стола и предложил позавтракать вместе.

— Я только что завтракала со Шкаликом, — ответила Вера, и сама чуть было не рассмеялась от того, как это прозвучало.

Но Борис Борисович даже не улыбнулся.

— После того как узнал о происшествии, — он покосился на Таню, выставляющую на стол тарелки с бутербродами, — весь остаток ночи не мог заснуть. Все пытался понять, кто это сделал. Никто из труппы не мог, они не способны на убийство — это однозначно.

Он замолчал и, не повернув головы, бросил:

— Ступай, Танюша. Обед приносить не надо, я пообедаю сегодня с капитаном и с кем-нибудь еще...

Софьин старался не смотреть на Таню, и это не укрылось от внимания Веры. Но она сделала вид, что ничего не заметила.

Хорошавина вышла, и Борис Борисович продолжил:

— Люди творческого склада способны, разумеется, на многое, но из корысти или из личной неприязни убивать того, с кем знакомы мало, от кого зависит их благосостояние, вряд ли будут. Зачем им? И потом, как на такое решиться? Теперь я не сомневаюсь, что это убийство совершил кто-то из членов команды. Прибудут следователи, разберутся, конечно. Жаль только я время потеряю. Такие важные переговоры предстоят, и тянуть время нельзя. Мой партнер — человек уважаемый и очень занятой...

— Кстати, как там Дмитрий Захарович? — словно невзначай поинтересовалась Вера.

— Нормально. Дел у него много. Теперь он еще в политику встрял. Вернее, его втянули: под его имя партию организовали, как вам известно. Приходится ему и на митингах теперь выступать, и в шествиях участвовать, в процессиях разных. А Дезик... Простите, что я его так запросто, но мы с ним друзья, вы знаете это. Так вот Иноземцев очень не любит передвигаться пешком. Ему тяжело много ходить: у Дмитрия Захаровича проблема с сосудами на ногах. От длительной ходьбы, да и не только длительной, ноги быстро устают и распухают. Он вообще никогда не любил ходить пешком, а сейчас ему противопоказано. Врачи пытаются чем-то помочь, но пока безрезультатно. Предлагают операцию, но он отказывается — говорит, что нет времени. И потом всякое хирургическое вмешательство...

— Но если это необходимо...

— Он считает, что необходимости нет, потому что если он не передвигается долго на своих двоих, то все у него нормально.

— Удивительно, ведь в народе говорят, что он ходок.

Софьин неожиданно рассмеялся, и Вера поняла, что он лишь притворялся угрюмым.

— Ходок — это точно. Но сами понимаете, что это значит. Мы с ним ровесники, но выглядит он значительно моложе меня. И что касаемо прекрасного пола, то он всегда был к нему неравнодушен, и если уж встречал красивую девушку, то не упускал ее, всегда добивался, чего хотел.

Софьин замолчал, вспомнил, вероятно, при каких обстоятельствах он и его друг познакомились с Верой.

— Тогда в Мюнхене он сказал мне... Мы даже поспорили. Он не сомневался, а я был уверен...

— Вы уже рассказывали, — прервала Вера. — Только не сказали, на что спорили.

— Разве? На коробку хорошего виски. Мы с Дезиком часто бились об заклад по любому поводу: для нас это как игра была. То поспорим на курс доллара в конце года, то на результат футбольного матча, хотя Дезик не особый болельщик, то на результат переговоров с западными политиками... Честно признаюсь, он выигрывал чаще. Но в тот раз победил я благодаря вам — вы же не позвонили ему. Или я что-то упустил?

— Не позвонила.

— Да, вспомнил! Мы тогда поспорили на коробку шотландского виски «Ханки Баннистер» сорокалетней выдержки. Слышали о таком?

— Даже пробовать приходилось. Но я крепкие напитки употребляю крайне редко, в небольшом количестве и только в проверенной компании. Но вкус того виски помню. И цену помню, потому что сама покупала. Полторы тысячи евро за бутылку отдала: у этого виски какой-то привкус фруктовый — то ли инжира, то ли финика.

— Дезик говорил: «Выпил — и как будто ириской закусил». Ему казалось, что там присутствует привкус вареной сгущенки. А он с детства сгущенку любит. До сих пор удивляюсь: зачем он в большую политику пошел? Спрашивал его, зачем тебе это? Отдохни, говорил. А он ответил, что о народе печется, а так давно бы уехал на остров где-нибудь в Средиземном море, жил бы там на вилле, соседи были бы приличные — люди, у которых такие же виллы. Сидел бы вечерами на балконе своего дома, а дом стоял бы на горе, и было бы далеко видно бескрайнее синее море и можно было бы радоваться свободе и покою.

Софьин замолчал, потом встрепенулся.

— Так вот. Возвращаясь к нашим баранам. Я склоняюсь к тому, что преступник находится среди экипажа. Но, с другой стороны, меня настораживает и та активность, с которой вы взялись за это дело. Понятно, что развлечений на судне немного, пьянствовать с актерами — никакого здоровья не хватит. И все-таки, зачем вам это?

— Хочется узнать, кто все-таки убил несчастную Элеонору, — ответила Вера.

— Желание похвальное, но надо быть специалистом. Потом должны быть и другие специалисты, которые могут провести дактилоскопию, установить точное время убийства, провести допросы, очные ставки, опознание... Помните, как сказал персонаж старой советской комедии: «Сделаем все в лучшем виде: опись, протокол, отпечатки пальцев»? Единственное, как мне кажется, что вы предприняли верно, это уговорили Шкалика выставить пост возле той каюты. Хотя теперь после вахты какой-нибудь усталый матрос не спит на своей койке, а сидит на стуле и играет в какую-нибудь игру на своем телефоне — вряд ли это правильно.

— Если бы была система видеонаблюдения на корабле, вопросов не возникло, — заметила Вера.

Софьин поморщился.

— Я взял судно, каким оно было, только отделку дополнительную заказал. Надо было срочно проводить ходовые испытания, а видеонаблюдение и еще кое-что — это не только дополнительные затраты, но и потеря времени. Тем более что в России установить пульт и подключить камеры стоит значительно дешевле и надежнее потом в обслуживании. Не вызывать же потом в случае неполадок специалистов из Голландии?

— Понятно, — произнесла Вера, поднимаясь из кресла. — С вами очень интересно, но я пойду, хочу успеть закончить свое непрофессиональное расследование.

Борис Борисович проводил ее до дверей и перед тем, как расстаться, улыбнулся во весь рот.

— Когда Иноземцев отдавал мне ту коробку виски, он сказал, что не считает себя проигравшим, потому что эта девушка — он имел в виду вас, разумеется, — не только красива, но и умна, а потому его выигрыш — это только вопрос времени. Он даже предложил увеличить ставку, но я отказался.

— И правильно сделали, — согласилась Вера. — Вы бы разорили своего друга.

Глава 14

Судя по всему, ни Волков, ни Хорошавина никому ничего не сказали о том, что случилось ночью. Когда Вера Бережная вошла в ресторанный зал, внутри все было убрано, хотя сдвинутые столы так и остались стоять в одну линию. Актеры сидели по обеим сторонам, а во главе стола председательствовал Гибель Эскадры.

— Повторяю, господа, — говорил Скаудер. — Отдых скоро закончится. Считайте, что его уже нет. Все вчера слышали, что нам объявила уважаемая Элеонора Робертовна? Уже практически принято решение о нашем участии в Шекспировском фестивале. Мы, сидящие здесь, основной костяк труппы. Те, что остались в Москве, не в счет, а про отщепенцев, прельстившихся на дешевые посулы, забудьте. Считайте, что их уже нет с нами, несмотря на былые заслуги некоторых из них. Мы будем готовить к постановке «Двенадцатую ночь, или Что угодно». Если кто-то считает, что пьеса заезженная: было много постановок и экранизаций, то он глубоко ошибается. Все делалось в рамках традиционного театра, в том числе и экранизации. Я весной встречался в Лондоне с Хеленой Бонэм Картер, которая, как вы знаете, в последней экранизации исполняла роли Виолы, Себастьяна и Цезарио, и она призналась мне, что ждала от режиссера большего... Это новаторская пьеса для Шекспира, для всей тогдашней драматургии! Но она современна и сейчас. И сейчас она может быть новаторской, если представить ее публике абсолютно по-новому!

Гилберт Янович обернулся, потому что заметил, что некоторые актеры поглядывают на дверь, и увидел Веру.

— Прошу нам не мешать! — нервно крикнул он и махнул рукой, призывая немедленно выполнить его указание.

— Я к вам и по срочному делу, — объяснила Вера.

— Какое еще дело? — нахмурился он. — Ладно, я закончу сейчас и выйду. А вы, пожалуйста, постойте за дверью: у нас не просто заседание — у нас творческий процесс.

Вера вышла в коридор, но и туда долетал голос Скаудера.

— Тревор Нанн перенес действие в начало двадцатого века, а я распространю его на всю вечность — туда, где нет понятий «вчера, сегодня, завтра», где нет прошлого и будущего, где существует только любовь. Во всех точках пространства и бытия. Все вы наверняка в разное время проходили через постановку этой пьесы... Вот вы, Киреев, соприкасались с ней и не поняли, насколько она гениальна. Кого вы там играли и где?

— В учебном театре, герцога Орсино.

— О чем тогда с вами говорить! Ладно, пару

минут отдохните и обдумайте. Никому не расходиться! Что там от меня хотят?

Он вышел с недовольным лицом.

— Говорите, что там у вас? Только быстрее, пожалуйста, я безумно занят.

— Мне надо побеседовать с вами и со Стасом Холмским.

Лицо Скаудера порозовело:

— И слушать не хочу! Вы собираете сплетни, а потом собираетесь о чем-то беседовать! Это что, шантаж? Да вы даже не представляете, на что вы замахнулись...

— Меня не волнуют ваши отношения, — холодно ответила Вера. — Я хотела поговорить с вами совершенно на другую тему. Сегодня ночью убили Элеонору Робертовну.

Гилберт Янович отпрянул к стене, как будто отшатнулся от удара.

— Что вы сказали? — прошептал он. — Убили Элеонору? Этого не может быть!

— Но тем не менее это случилось.

Губы Скаудера задрожали.

— Это ужасно! Что случилось? Почему? Неужели опасность угрожает нам всем?

— Давайте поднимемся в вашу каюту или ко мне и все обсудим.

— Лучше в вашу, — решил Гибель Эскадры. — Какой ужас! Я сейчас предупрежу труппу, чтобы они без меня занялись чем-нибудь... Я должен сообщить им неприятное известие?

— Пока не стоит. Зачем раньше времени людей расстраивать? И возьмите себя в руки, — строго сказала Вера.

— Да, — закивал Скаудер, прижал ладони к лицу. Постоял в такой позе несколько секунд, выдохнул и спросил: — Как вы думаете, на корабле действует маньяк?

— Нет, конечно!

— А это не может быть несчастный случай? — с надеждой посмотрел он на Веру.

— Мы поговорим об этом. Предупредите труппу.

Скаудер зашел в зал, шагнул к столу, но подходить не стал, остановился.

— Коллеги, — громко и отчетливо произнес он, как диктор с экрана телевизора, что совсем не соответствовало тому восторженно-деловому тону, с которым он общался с актерами пару минут назад. — Я должен оставить вас ненадолго. Обдумайте пока то, о чем мы говорили.

На лифте они поднялись в пассажирский отсек третьей палубы и подошли к каюте Веры Бережной. У двери, за которой произошло убийство, сидел на стуле матрос и что-то изучал в своем телефоне.

— А я утром не понял, почему он там сидит, — признался Скаудер, стараясь как можно быстрее проскочить мимо. — Подумал, что Элеонора попросила капитана выставить для нее охрану...

— От кого ее должны были охранять? — спросила Вера. — Разве ей угрожала опасность?

— Не знаю. Я просто предположил.

Он зашел в каюту следом за Верой и, не дожидаясь приглашения, расположился в кресле. Потом вскочил, вспомнив о правилах приличия.

— Прошу меня простить, совсем голова кругом.

— Присаживайтесь, — улыбнулась Вера и села в соседнее кресло.

— Я все-таки остаюсь при своем мнении, что на корабле действует маньяк, и до прибытия в порт могут быть еще жертвы, — заявил Гилберт Янович. — Возможно, даже многочисленные. Я думаю, что следует держаться всем вместе, а еще лучше направить пароход к Таллинну и высадиться там, а потом на поезде прямо в Москву, не заезжая в Петербург. По времени мы немного потеряем, но зато выиграем в своей безопасности.

Он замолчал. Молчала и Вера.

— Если вы говорите, что это не несчастный случай, то надо как-то позаботиться, чтобы этого не произошло больше ни с кем! — воскликнул Скаудер. — А Софьин в курсе?

— Борис Борисович все знает. И паники у него нет. Он тоже считает, что это не маньяк. А все требуемые меры уже приняты, в Санкт-Петербурге в порту нас встретит полиция.

— А что по этому поводу говорит Софьин?

— Говорит, чтобы я продолжала расследование.

— А вы-то тут при чем? — возмутился Скаудер. — Вы что, из полиции? Следователь?

— Почти, — улыбнулась Вера. — На самом деле я занимаюсь доследственной проверкой.

— А что это?

— Я пытаюсь установить криминальный характер смерти, обстоятельства убийства, ну и — по возможности — найти убийцу.

— Это Борис Борисович вам поручил? И почему именно вам? Пусть бы капитан этим занимался, он на корабле за все отвечает!

— Меня уполномочило управление следственного комитета по Петербургу, к которому я имею некоторое отношение.

— Вы? — не поверил Гибель Эскадры. — Это не розыгрыш?

Вера покачала головой. Гилберт Янович вскочил и начал расхаживать по каюте, потом снова сел, свел ладони на груди, словно собирался прочитать молитву, вздохнул и переплел пальцы.

— Господи, — прошептал он. — Что же теперь будет? За что Герберову-то? Что она кому плохого сделала?

— Мне кажется, что убийство связано с выполнением ее профессиональных обязанностей, — осторожно заметила Вера. — Как она вообще оказалась на судне?

— Мы собирались в Осло, на фестиваль, и

вдруг Софьин предложил нам отправиться туда на его корабле. Я, естественно, рассказал об этом Герберовой, и она тоже выказала желание поехать, тем более у нее мультивиза, а на работе она оформила поездку как командировку. Она очень хорошо представила наш театр и, вообще, всю российскую театральную культуру, давала интервью, организовывала встречи с норвежской театральной общественностью... Она — большой профессионал в своем деле... — Гилберт Янович вздохнул и произнес: — Была профессионалом. Так, значит, это ее из-за работы убили?

— Это одна из версий. Мое предположение. Просто, осматривая место преступления, я нашла папку с документами. С финансовыми документами вашего театра, — Вера сделала вид, что не заметила, как побледнело лицо Скаудера, и продолжила почти без заминки: — Ведь вы являетесь не только художественным руководителем, но и директором?

— А что в этом особенного? Совмещаю, как многие. Опыт хозяйственной и административной деятельности у меня имеется. Творческому процессу это никак не мешает. У меня есть помощники по хозяйственной и финансовой части. Главный бухгалтер имеется, который за все отвечает, за все нарушения, если вы на это намекаете.

— Я пока ни на что не намекаю. Хотите, я вам покажу эти бумаги?

Скаудер пожал плечами:

— Можете, конечно, показать. Вдруг это и вовсе к нашему театру не имеет никакого отношения. И вообще, может, это фальшивка.

Вера достала папку и показала Гилберту Яновичу. Судя по его лицу, он узнал.

— Фальшивка или не фальшивка, в этом будут разбираться другие специалисты. Но тут есть распечатка банковских выписок: куда, кому и сколько... Вы же не будете отрицать, что документы имеют отношение к вашему театру? Тут стоят ваши подписи.

— Возможно. Я не вижу, потому что при чтении пользуюсь очками, а их при мне нет, — ответил Скаудер.

— Лучше все же взглянуть, — настаивала Вера. — Потому что эти документы будут приобщены к делу. Я обязана передать их следствию, представители которого будут нас встречать. Кстати, мы идем с опережением графика и будем в порту через восемнадцать часов.

— Значит, в Таллинн заходить не будем? — понуро поинтересовался режиссер.

— А что вы забыли в Таллинне?

— Ничего. Просто так спросил. У нас недавно заходил разговор о Таллинне. Красивый средневековый город...

— Но Рига лучше?

— Это да, — согласился Скаудер.

— Вы гражданин Латвии?

— России, — быстро произнес Гибель Эскадры, немного подумал и признался: — И гражданин Латвии тоже. Но так уж исторически сложилось.

Вера молча ждала продолжения, а Скаудер заерзал в кресле.

— Я только недавно узнал, что в России нет института второго гражданства. Я как раз собирался отказаться от латвийского...

Он протянул руку.

— Позвольте взглянуть на документы.

Вера протянула ему папку. Гилберт Янович вынул первый лист, потом второй. Потрогал заклеенный скотчем разрыв.

— Если я признаю, что это наши бумаги, то я сразу становлюсь главным подозреваемым?

— Но документы и так ваши — признаете ли вы это или нет, — усмехнулась Вера. — А станете ли вы главным подозреваемым, зависит от того, как будете отвечать на мои вопросы.

— А как надо?

— Честно.

Гибель Эскадры тряхнул головой.

— Если вы обратили внимание, я всегда был честен: и в делах, и в отношениях с людьми, и в искусстве.

— А в финансовых делах были честны?

Скаудер задумался и кивнул, но не столь уверенно.

— Всегда был честен во всех делах. Но есть

правила игры, есть рамки, в которые меня поставили. Театру, чтобы развиваться, нужна поддержка, не только спонсорская, за что Борису Борисовичу особое спасибо, но и государственная. А государство не раздает гранты кому попало.

— Государство или Герберова?

Гибель Эскадры вздохнул.

— Мне выбирать не приходилось, я ведь думал о деле, о людях, которые от меня зависят, об их семьях. Ставки в театрах, сами знаете какие.

— Какие?

— Мизерные.

— Сколько требовала Герберова в качестве отката?

— Поначалу пятнадцать процентов, потом тридцать, а на будущий год обещала выдать дополнительный грант, но за него потребовала уже больше.

— Я видела документы, именно так и подумала. Вы часто бывали в доме Герберовой?

— Бывал пару раз. А какое это имеет отношение к делу?

— Возили ли к ней кого-нибудь с членов труппы?

— Нет. Зачем? То есть как-то однажды приезжали с Волковым, когда она захотела с ним встретиться. Элеонора Робертовна угостила нашего народного артиста коньяком, потом мы пообщались и ушли.

— Вы ушли вместе с ним или он один? — продолжала допрос Вера.

— Не помню. А какая разница? — недовольно поморщился Скаудер.

— А со Станиславом Холмским вы были у нее?

— Позвольте не отвечать, — вспыхнул Гилберт Янович.

— Разумеется, можете не отвечать. Кто, кроме вас и Холмского, бывал у нее?

Скаудер помотал головой и прикрыл лицо ладонями.

— Если я сознаюсь, что отдавал Элеоноре деньги, меня помилуют? — жалобно спросил он.

— Но вас же еще не осудили, чтобы миловать, — напомнила Вера. — Скажу только, что явка с повинной зачтется, потом следствие учтет, что выгодополучатель только один — покойная Герберова, а вы просто способствовали хищению государственных средств без цели личного обогащения. И потом, сами знаете, если вам предъявят обвинение, тут же вся прогрессивная общественность встанет на вашу защиту. В мире поднимается волна возмущения...

— Это да, — признал Скаудер. — Но худруком «Тетриса» мне уже не быть. А это печально.

Он обернулся и посмотрел за окно, сидя, моря было не видно, только небо и бегущие по нему облака.

— Вы даже представить себе не можете, что значит для меня эта потеря! Софьин — гениальный предприниматель, я — гениальный... ну или почти гениальный режиссер. Мы нашли друг друга. У Бориса Борисовича родилась идея раскрутить театр, что практически удалось, а потом создать две труппы. Одна для внутреннего пользования, вторая — гастрольная, для зарабатывания средств. Составы, конечно, будут варьироваться, потому что каждому актеру захочется побывать за границей. Там ведь совсем другие доходы и ставки. Представляете, постоянно гастролирующая труппа театра, который известен всему миру? Какие это сборы и какие это доходы! Сейчас люди, которые с Кудрявцевой с ее самодеятельностью, рассчитывают привезти по восемь-девять тысяч евро... А что может принести грамотно организованный театральный тур — несопоставимо больше!

Гилберт Янович замолчал, оторвал взгляд от окна, вздохнул и спросил:

— Мне сейчас писать признание?

— Зачем спешить? Можете возвращаться к труппе, а когда освободитесь, напишите, главное, не забудьте указать, как Герберова, используя рычаги административного давления, вымогала у вас деньги. Как, когда и сколько.

Он поднялся.

— И это все?

— Все, если вы не убивали Элеонору Робертовну.

— Как вы могли подумать? — возмутился Скаудер, всплеснув руками.

— Вы видели, куда упал нож Козленкова? — как ни в чем не бывало спросила Вера. — Может быть, заметили, кто его поднял?

— Не видел, — ответил Гилберт Янович. — То есть видел, что он подкатился к моим ногам. Но я отпихнул его. А когда и кто забирал нож, не видел. Мне кажется, его кто-то на стол положил. Мне можно идти?

Вера кивнула.

— Да, конечно. Только не забудьте Станислава Холмского отправить. Я жду его здесь.

Гилберт Янович вздохнул и вышел из каюты.

«Такие люди не убивают, — размышляла Вера. — По крайней мере хладнокровно и расчетливо. Лезвие широкое, и, чтобы вонзить его так глубоко в грудь через ребра, надо обладать достаточной силой, а значит, бил все-таки мужчина. Удар ножом был нанесен сильной рукой. Лезвие вошло в тело по самую рукоятку, а длина лезвия не менее пятнадцати сантиметров, может быть, даже больше. Женщина так не могла бы ударить».

Она ждала Холмского, но тот не спешил. Скорее всего, Скаудер закончил творческий процесс со всей труппой и теперь инструктирует Станислава, как себя держать и что говорить. Хотя разговор с ним вряд ли что-то даст. Пока подозреваемым номер один для Веры оставался Артем Киреев, с которым еще предстояло беседовать и попытаться поймать на чем-то.

Глава 15

В ресторанном зале остались лишь четверо: Алексей Дмитриевич Козленков, Артем Киреев и супруги Иртеньевы. При появлении Веры Бережной Киреев что-то быстро спрятал под стол. Вера подошла к компании, опустилась рядом на свободный стул.

— Добрый день, господа.

Никто ей не ответил.

— А зачем бутылку под стол спрятали? — обратилась Вера к Артему. — Вы же не школьники.

Ответом опять было молчание, а потом Козленков осуждающе произнес:

— Нехорошо, уважаемая госпожа, вот так вот без мыла в душу! Мы вас как свою, как родную, можно сказать, приняли, а вы что-то тут вынюхивать собираетесь.

— Насколько я поняла, Гилберт Янович рассказал вам, что произошло? — поинтересовалась Вера. — Поэтому все вопросы ко мне. Или вы доверяете ему больше?

Артисты переглянулись, и Киреев достал из-под стола пластиковую бутылку.

— Вчера через старый город на корабль спешил, — начал объяснять он. — Гляжу — щель какая-то. Заглянул, а там пивнушка маленькая — типа нашей забегаловки — и пиво в розлив. Народу — никого, восемь вечера, по их законам пивные закрываются. Еле упросил налить мне бутылочку. Пиво называется «Король Людвиг», оно типа немецкого, как меня уверяли. Хотите попробовать, Вера Николаевна?

— Не пью пива совсем.

— И это правильно, — согласился Козленков. — Нам больше достанется — тут всего-то полтора литра.

— Сережа не будет, — предупредила Алиса Иртеньева.

— Тем более, — твердо произнес Козленков и, покосившись на Веру, добавил: — Не надо ничего вынюхивать, мы сами, когда захотим, все расскажем.

— А я разве приставала к кому-то с вопросами?

Все переглянулись, а Вера продолжила:

— С Гибелью Эскадры у меня был разговор совсем на иную тему. По поводу того, куда пропадают деньги, как растворяются гранты и почему некоторым артистам приходится мыкаться по съемным квартирам, хотя гранты могут расходоваться и на улучшение жилищных условий особо нуждающихся работников театра.

— Это правда? — не поверила Алиса, переглянувшись с мужем.

— Конечно, Скаудер это знает, только почему-то вам об этом ничего не сказал?

— Ясно почему, — вздохнула Иртеньева. — Нам он сообщил, что вы следователь и очень жестко допрашиваете, наезжаете, угрожаете, запугиваете, требуете признаний.

— От вас я ничего не собираюсь требовать. Вы сразу предупредили, что сами скажете, когда захотите, — улыбнулась Вера.

— Ладно, — примиряюще произнес Козленков, опуская руку под стол. — Тут винцо имеется.

Он вытащил бутылку и поставил ее на стол.

— Мы даже открыть ее не успели.

— Откуда у вас эта бутылка? — спросила Вера.

— Я принес, — ответил Алексей Дмитриевич.

— Вот я и спрашиваю, откуда вы ее принесли?

— Где взял, там уже нет, — усмехнулся Козленков. — Это — бордо, милая дама, не просто бордо, а «Шато петрюс» девяносто первого года. Хотите с нами выпить, так не спрашивайте откуда.

— Хорошо, проехали, — проговорила Вера. — А где ваш охотничий нож, Алексей Дмитриевич? Тот, который вы во время замечательно сыгранного розыгрыша в сторону бросили?

— Я бросил, я и поднял, — спокойно ответил Козленков. — Вещь, между прочим, денег стоит, хотя и китайская. Пятьдесят евро заплатил тем не менее.

— Куда вы его дели?

— Поднял и на стол положил. А потом ушел и забыл.

— Вы уходили одним из последних, после вас только я и Волков оставались здесь.

— Может, Федя взял или кто-то еще раньше, — отмахнулся Козленков. — А почему вас это так интересует?

Алиса Иртеньева, очевидно, поняла и ахнула:

— Так выходит, что этим ножом зарезали Герберову?!

— Не знаю, — покачала головой Вера. — Может, этим, а может, очень похожим.

— А вы сами-то труп видели? — поинтересовался Киреев.

— Я и обнаружила, — сказала Вера. — Как вы помните, Герберова меня к себе позвала, а ребят заставила закуски туда тащить. Так до сих пор стол и уставлен. Я зашла и увидела ее мертвой.

Алиса поежилась и посмотрела на мужа, Сергей казался отрешенным. Никто не вымолвил ни слова, пока молчание не нарушил Алексей Дмитриевич:

— Вчера Федя стихи начал читать Твардовского, а чтец, как вы знаете, он классный. То есть первоклассный чтец. Я сам, когда эти строки слышу в его исполнении, заплакать готов — так горло перехватывает, что ни вдохнуть, ни слова сказать, а она весело там о чем-то... Великий человек о своем героическом деде рассказывает, а ты, если перебить хочешь, скажи тогда о своих предках, а ей и сказать-то нечего! А перебить народного артиста, когда он душу перед тобой выворачивает... Про какую-то ерунду сразу начала!

Да и предков у нее никаких не было, а так — родственники...

— Я слышал, что у нее отец был банкиром, — проговорил Киреев. — В середине девяностых его взорвали вместе с машиной и водителем. Мать тут же дочку бросила и за границу сбежала. Там и сгинула где-то. А Элеонору Робертовну замужняя старшая сестра к себе взяла. Банк, как выяснилось, к тому моменту разорился...

Все молчали.

— Как банк назывался? — спросила Вера.

Киреев молча пожал плечами.

— Проникновенно излагаешь, Артем. Я чуть было ее не пожалела, — усмехнулась Алиса. — Какая она несчастная, папу-банкира взорвали на кусочки...

— Ее уже на свете нет, — напомнил Алексей Дмитриевич. — А ты живая и счастливая, у тебя муж любящий рядом сидит и друзья преданные имеются. А все эти банки, машины, яхты... Гори они синим пламенем!

— Насчет яхты вы поосторожнее, господин артист, — напомнила Вера.

— Да, — согласился Козленков. — Это я что-то не подумал. Так мы будем бордо трескать, открывать мне бутылку или нет?

— Если только признаетесь, где вы ее добыли, — улыбнулась ему Вера.

— А чего мне скрывать? Стасик презентовал. Я недавно... То есть сегодня с утречка зашел к нему, думал, Гибель Эскадры там. А Стасик сидит грустный и в окошко смотрит. Говорит: «Не хотите ли хорошего бордо, Алексей Дмитриевич?» А что мне отказывать, что ли? Взял бутылку и ушел.

— Совсем забыла! — всплеснула руками Вера. — Я же договорилась с Холмским пообщаться. Он, вероятно, уже ждет меня. Так что, Алексей Дмитриевич, выпьем это вино в другой раз, хотя я не особо его рекомендую: это фальсификат. Если хотите, обменяю вам его на «Реми мартен» двенадцатилетней выдержки — коньяк хороший, проверенный.

— Готов меняться! — тут же согласился Козленков. — Прямо сейчас к вам и поднимемся, пока вы не передумали. Какое бы вино ни было, коньяк лучше. Особенно для актерской души. И особенно французский коньяк. А главное — двенадцатилетний!

Глава 16

Когда вышли из лифта и вошли в отсек с каютами, Вера увидела высокую фигуру Холмского, который подпирал стену напротив ее двери. Увидев рядом с ней Козленкова, Станислав растерялся и почему-то отвернулся в противоположную сторону. Он так и остался стоять, пока Вера доставала из мини-бара коньяк, а потом убирала туда бутылку бордо.

Алексей Дмитриевич взял коньяк и, вдохновленный, быстро удалился. И только потом, да и то не сразу, Станислав просунул голову в каюту, оставаясь в коридоре, и спросил тихо:

— К вам можно?

— Заходи, конечно, располагайся.

— Я лучше постою.

— А ты разве не настоялся в коридоре, меня поджидая? — улыбнулась Вера и кивнула на кресло. — Садись.

Холмский опустился в кресло, но на самый краешек, стараясь держать спину ровно, а голову прямо. Вера смотрела на него, а потом отвела взгляд, чтобы парень не смущался. Удивительно, как такой застенчивый молодой человек стал артистом! Или это такая игра в застенчивость?

— Тебе в театре нравится? — спросила Вера.

— Очень.

— Давно уже в труппе?

— Два года.

Он поправил волосы, спадающие за спину, и немного потряс головой, чтобы они улеглись.

— У тебя друзья в театре есть? — продолжала Вера.

— Ну, вы же все и так знаете. Зачем спрашивать? А так все ко мне хорошо относятся.

— А ролями своими доволен?

Холмский задумался, потом дернул плечом и кивнул.

— А раздеваться на сцене нравится?

— Нет, конечно. Но раз надо, так надо. Я ведь не один такой. Танечка Хорошавина, когда ей приходится это делать, плачет потом в гримерке. Так что я терплю.

— Но как вы считаете, Гилберт Янович — гений?

Станислав напрягся, а потом кивнул:

— Наверное. Он верит во все, что делает.

Вере показалось, что Холмский едва сдерживает улыбку. Как это ему удается при таком внутреннем напряжении? Или это тоже игра?

Вера придвинулась к нему немного ближе, Холмский почти на такое же расстояние сместился в глубь кресла.

— А Герберова какой была? — немного понизив голос, поинтересовалась Вера.

— А почему вы меня об этом спрашиваете? — испуганно спросил Станислав.

— Ну, потому что ее никто не понимал, а ты видел насквозь.

— Откуда вы это знаете? — удивился Холмский.

— Работа у меня такая, — улыбнулась Вера. — И потом: она ведь ни перед кем душу не открывала, а с тобой многим делилась.

— Вы и это знаете? — ахнул Станислав. — Ну да, мы разговаривали. Она рассказывала, как была маленькой девочкой, но очень хотела стать маленьким мальчиком, чтобы стать сильной, когда вырастет, и со всеми расправиться. А еще рассказывала о том, что у нее был театр теней — любимая игрушка. С каретами, с кавалерами и дамами, вырезанными из картона, с лошадьми и собачками, потом она всем отрезала головы и завела себе кукол-марионеток. Но очень скоро поняла, что может управлять не только куклами, но и людьми.

Он замолчал и вдруг рассмеялся:

— И ведь научилась!

Его смех и фраза прозвучали так неожиданно, что Вера вдруг поняла: все это и в самом деле игра. Станислав Холмский притворяется, изображает кого-то. Потому что считает себя ниже всех по уровню таланта и по уровню образованности. И эта игра — единственный способ защиты для него.

Казалось, что молодой актер готов был расплакаться, но вдруг откинул голову назад и, оперевшись на подлокотники, сел в кресло еще глубже — так глубоко, как это только было возможно.

«Играет, — все больше убеждалась Вера. — Точно играет. Но как талантливо он это делает! Переходит из одного состояния в другое».

— Но я ее не боялся, а она знала это, — продолжил Станислав. — А один балетный мальчик как-то рассказал мне, что Элеонора его иногда призывает к себе домой. Заставляет раздеваться догола, потом раздевается сама и садится за рояль. У нее дома такой белый большой рояль.

— «Стенвей», — подсказала Вера.

— Ну да. Только играть она не умеет совсем, если не считать собачий вальс. Она набренчивает собачий вальс, а мальчик этот балетный должен танцевать, делать все эти ассамбие па, батманы, па де пуассоны и прочую муть...

— И как она отблагодарила мальчика за такую покорность?

— Ну, он теперь солист в одном провинциальном театре. Но главное — он от нее вырвался. Провинция далекая, и Элеонора туда бы никогда не вырвалась бы.

— А от тебя ей что было нужно?

— Ну иногда она хотела просто смотреть, как мужчины этим занимаются... А иногда мы просто разговаривали. Она всех ненавидела, особенно мужа сестры, который пытался из нее сделать марионетку, она собиралась уничтожить его.

— Уничтожила?

— Откуда же я знаю? Но думаю, что уничтожила, потому что она как-то радовалась очень, пела даже от радости. А потом мне сказала: «Теперь я ее закопала!» А когда я спросил: «Кого вы закопали?», ответила: «Сестру». И тут же сообщила, что теперь я ее сестричка и чтобы даже не думал ее огорчать и командовать ею.

— О вашей дружбе кто-нибудь знал?

— Я думаю, что нет. Элеонора точно никому не говорила. Но у нее были тайны и поважнее. Например, она даже мне не говорила, что влюблена в Артема.

— А разве она была влюблена в Киреева? — удивилась Вера.

— Еще как! — усмехнулся Холмский. — Она ненавидела себя за эту любовь. Это выше ее понимания — влюбиться в марионетку.

— А Элеонора была замужем?

— Была. Ее мужем был какой-то приятель отца. А отца у нее взорвали, если вы не знаете.

— Слышала.

— Так вот, этому ее мужу, Герберову, было шестьдесят, а ей восемнадцать. Он называл ее «моя Куколка», а для нее это было как ножом по сердцу. Ой, какое сравнение неудачное! Но уж так получилось... Но самое главное, что муж ее оказался не таким уж богатым. Да, у него был большой дом, он закатил шикарную свадьбу, а потом пришли бандиты и все отобрали. Стали они жить на его пенсию, но недолго, потому что Герберов вскорости умер. А про Артема я вообще случайно узнал. До того считал, что она никого любить не может и всех ненавидит, как Гедда Габлер.

— А ты знаешь, что всем в вашем театре известно про Артема и Элеонору?

— Так уж и всем! — усмехнулся Холмский. — Кто-то догадывался, может быть, кто-то подозревал. Наверняка знала только Танечка Хорошавина, потому что Герберова ей сама об этом заявила. Ну и я, потому что я знал про Элеонору Робертовну все.

— Она не боялась тебе доверяться?

— Боялась. Но ведь надо было с кем-то делиться сокровенным: невозможно все в себе держать, а то совсем крыша съедет. А потом она знала, что я никому и никогда ее не выдам.

— А кто ее мог убить, не знаешь?

Станислав посмотрел на Веру чистым взглядом и улыбнулся застенчиво.

— Знаю, конечно. Я и убил.

Он произнес это так спокойно, что внутри у Веры все похолодело. А потом Станислав улыбнулся еще раз.

— Я убил, потому что... Как бы сказать... За всех отомстил: за Сережу Иртеньева, за Алисочку, за Танечку Хорошавину, за Артема, за Бориса Адамовича, разумеется, за Волкова. Они же все хорошие. Это вам только кажется, что мы только и делаем, что пьем. А это не так! Мы только здесь чего-то распоясались, словно прорвало нас всех, словно нет мочи терпеть. Вырвались на свободу, как собачка с цепи, и носимся...

— Погоди! Как ты ее убил? — Вера немного отходила от шока.

— В ресторане взял ножик с пола, пошел туда к ней. Вошел, ударил ножом, Элеонора Робертовна упала. На столе стояла бутылка бордо. Ну я и забрал ее.

— Зачем ты это сделал?

— Бутылку забрал?

— Нет, убил! Почему ты убил Герберову?

— Так я же говорил, чтобы отомстить за всех,

кому она жизнь испортила, чтобы она и впредь никого не ломала.

— Нож, говоришь, на полу взял?

— Ну да. Там и лежал, куда его Алексей Дмитриевич забросил. Я поднял, когда все отвернулись, спрятал в карман, а потом побежал наверх и прикончил.

— Как ты ее убил?

— Обычно.

Вере показалось, что Стасик не знает точного ответа. Судя по всему, он об этом не задумывался.

— Встань и покажи, где она стояла, где ты, как подошел и как ударил, — велела Вера.

— Если честно, то плохо помню, потому что выпил тогда немного, и потом я был в таком состоянии... — заюлил Стасик.

— Который час тогда был, сказать не можешь?

Это был самый простой вопрос, но Холмский задумался.

— Я на часы не смотрел.

— Сейчас сколько?

Холмский посмотрел на свое запястье, которое украшали красивые часы.

— Без пяти три.

— Обед во сколько сегодня?

— В три.

— Пойдем пообедаем, а потом продолжим, — предложила Вера.

— А разве вы меня не арестуете? — удивился Стасик.

— Потом, а сначала пообедаем.

Вера закрывала дверь каюты. Станислав стоял рядом, не отходя ни на шаг.

— Часы тебе Герберова подарила? — спросила Вера.

— Ну да, — признался он. — А как вы догадались? Они хоть и ничего с виду, но это китайская подделка. Но Элеонора дала и сказала: «Носи и не снимай никогда до самой смерти». Только вот до чьей смерти, интересно?

Глава 17

Столы так и остались стоять в одну линию, словно символизируя единство актерского строя и его сплоченность. Места за столом еще оставались, но Вера предложила Станиславу сесть отдельно, будто бы для того, чтобы продолжить их разговор, при котором присутствие посторонних ушей вовсе не обязательно.

Холмский пытался возразить, сказав, что посторонних здесь нет, но произнес это неуверенно и очень тихо.

То, что они демонстративно сели отдельно, не укрылось, конечно, от остальной труппы. Все переглянулись, но промолчали, и почти сразу к отдельному столику подошла с подносом Таня Хорошавина.

— Как твои дела? — обратилась она непонятно к кому.

А потому ответили сразу и Вера, и Стасик, не сговариваясь:

— Все прекрасно.

Они произнесли это так слаженно и с такой одинаковой интонацией, что и сами удивились.

— Мы с Алисой приготовили на обед сегодня мясную солянку, — начала предлагать меню Татьяна. — А еще есть...

Тут включилась рация, которую Вера выложила на стол, включилась так громко, что обернулись все сидящие за длинным столом.

— Со мной связались из следственного комитета, поинтересовались наличием возможности посадить на корму вертолет, — раздался голос капитана. — Я сказал, что сейчас уточню. Вы что порекомендуете?

— Такая возможность есть?

— Возможность есть: вертолетная площадка имеется.

— Тогда поинтересуйтесь типом воздушного судна и откажите. Скажите, что лучше выслать навстречу катер с оперативной группой. К борту катер может подойти?

— Без проблем. Но только катер подойдет лишь ночью. А если им сейчас еще предстоит ехать в порт, погружаться и выходить в море, то это будет часа за три или за четыре до нашего прибытия. Стоит ли?

— В самый раз.

— А с телом-то что делать? Пусть так и лежит?

Все находящиеся в ресторане замерли, прислушиваясь.

— Тело можно будет накрыть, но охрану от каюты пока не убираем. Я дам дополнительную команду.

— А что говорить, если со мной еще раз будут связываться? — спросил капитан.

— Скажите, что доследственная проверка произведена. Пусть высылают катер навстречу для проведения необходимых следственно-оперативных мероприятий и задержания преступника.

— Так что, уже...

Вера отключила рацию и посмотрела на замершую возле столика Таню.

— Все, что приготовили, то и принесите, — попросила Вера. — Только небольшими порциями.

— И мне, — прошептал Холмский.

Обед проходил в полной тишине.

Вера вместе со Станиславом вернулись в ее каюту. Когда выходили из зала, все смотрели им вслед. Никто не встал из-за стола, хотя закончили обед все раньше. Молчали и никто не окликнул. Гилберта Яновича за общим столом не было.

В каюте они уселись так же, как и при начале разговора, — каждый в свое кресло.

— Когда вы меня арестуете? — спросил Холмский.

— А зачем? Ты же отсюда все равно убежать не сможешь: вокруг море.

— Вдруг я с собой что-нибудь сделаю?

— А зачем это тебе? — поинтересовалась Вера.

— Груз вины за преступление, — вздохнул Стасик. — За то, что я переступил законы божеские и человечьи.

— А раньше никогда не переступал?

Холмский задумался и кивнул:

— Случалось. Но теперь это все накопилось.

— Тебе жалко Элеонору Робертовну?

Он отвел глаза.

— По-человечески — да. А так...

Он посмотрел Вере прямо в глаза.

— Ну вы же уже поняли, что она за человек была.

Вера взяла рацию и связалась с капитаном.

— Григорий Михалыч, на вашем судне есть карцер или каюта, предназначенная для содержания преступника?

Услышав последнее слово, Станислав напрягся и отвернулся в сторону. На его глазах выступили слезы.

— Найдется, — ответил капитан. — А что, есть кого туда помещать?

— Есть один желающий, — ответила Вера. — Подготовьте помещение, а потом высылайте конвой. Теперь о теле. Знаете условия хранения и транспортировки подобных грузов?

— Увы, даже очень хорошо знаю. Я из ЮВА двух моряков своих в Канаду вез. Ребят в порту зарезали.

— Откуда? — не поняла Вера.

— Из Юго-Восточной Азии. Из Восточного Тимора, если уж совсем точно. Не все даже такую страну знают, а мы туда за грузом кофе пошли. Вернее, повезли военный груз, а обратно кофе должны были взять. А в Дили у них тогда беспорядки начались. Дили — это столица и одновременно крупнейший порт. Власть разбежалась, начались грабежи, пожары и все такое прочее...

— Ну, раз опыт есть, то знаете, что делать.

Вера закончила разговор и посмотрела на Станислава, он вытирал слезы.

Вера подала ему салфетку и спросила:

— На ноже остались твои отпечатки?

— Конечно. А чьи же еще? Но я не знаю точно.

— Ты был в перчатках?

— Не помню, — Холмский отвел глаза.

— Стасик, — как можно мягче произнесла Вера. — Ты не помнишь, как вошел, как ударил ножом, не помнишь, был ли ты в перчатках или без них. Но помнишь только, что взял бутылку вина.

Холмский кивнул:

— Ничего не помню. Затмение какое-то нашло. Про бутылку помню. А это что, отягчающее обстоятельство?

— В принципе, да. Вино ведь дорогое.

— Ужас! — прошептал Холмский. — Из-за какого-то вина вся жизнь под откос.

— Вообще-то ты человека убил, — напомнила Вера.

— Это да, — согласился Станислав.

Он уже перестал плакать, но по-прежнему был растерянным и несчастным.

— Это тебя Гилберт Янович попросил отстоять честь труппы? — спросила Вера. — Раз уж подозревают всех, пусть кто-то один ляжет на амбразуру.

— При чем тут Скаудер? — не очень уверенно удивился Холмский. — Я сам принял решение. Раз я убил, да еще вино украл, то я и должен отвечать.

В дверь постучали.

— Входите, Григорий Михалыч! — крикнула Вера, решив, что это пришел капитан с моряками, чтобы отконвоировать Холмского в импровизированную тюрьму.

Но вошел Волков. Он приблизился к Станиславу, погладил его по голове. Холмский сжался и закрыл лицо ладонями, чтобы не разрыдаться.

— Садитесь, — предложила Вера и указала народному артисту на третье кресло.

— Да я уж постою, — печально произнес Федор Андреевич. — Пришел выяснить, что происходит. Разговоры пошли, будто бы схватили убийцу. Убийцу! — вскричал он и готов был вскинуть руки, возмущаясь. — Кого? Взяли самого слабого и пытаетесь его расколоть!

— Успокойтесь, Федор Андреевич! — проговорила Вера.

— А как тут быть спокойным, когда такой беспредел?!

— Федор Андреевич, вы ведь читали «Преступление и наказание»?

— Ну, разумеется, — ответил Волков. — Я почти наизусть знаю этот великий роман!

— Помните, наверное, что у Порфирия Петровича был еще один подозреваемый, который сознался в убийстве старухи-процентщицы и ее сестры, но Порфирий Петрович не поверил?

— Ну, разумеется. Некий Миколка из старообрядцев или из сектантов, который с художником жил. Он решил взять на себя чужой грех, чтобы искупить свой собственный... — Волков вдруг понял. — То есть и вы тоже не верите нашему «Миколке»?

— Нет, конечно. Вспомните того же Порфирия Петровича. Его слова про сладостное желание из окна или из колокольни спрыгнуть...

Волков покачал головой и выдохнул:

— Уф! Приятно иметь дело с начитанным человеком. В наше время все беды от того, что люди читать не хотят. А потому и глупость повсеместная. Я ведь этого Порфирия Петровича на сцене изображал, даже брови высвечивал, чтобы соответствовать образу, придуманному Федором Михайловичем. А как я произносил текст! Вот послушайте...

Волков смахнул ладонью с лица свое обычное выражение, потом пригладил волосы и немного присел, потом пригнулся чуток и выпалил чужим голосом:

— Геморрой-с... Все гимнастикой собираюсь лечиться; там, говорят, статские, действительные статские и даже тайные советники охотно через веревочку прыгают-с; вон оно как, наука-то, в нашем веке-с... Так-с...

Он снова выпрямился.

— А еще раньше и Раскольниковым был, потом уж Свидригайловым.

Дверь отворилась без стука и вошел капитан Шкалик, за спиной которого стояли двое моряков с напряженными лицами.

— Кого забирать надо? — спросил капитан, глядя почему-то на Волкова.

— Меня, — всхлипнул Холмский и поднялся из кресла.

Шагнул к двери, остановился. Повернулся к Вере:

— Прощайте.

И поклонился. Потом поклонился и Волкову.

— Прощайте и вы, дорогой учитель Федор Андреевич, никогда не забуду, что вы для меня сделали.

На глазах у Станислава опять выступили слезы. Волков обнял молодого человека.

— Держись, сынок. Мы тебя не оставим! — Он посмотрел на Веру. — А можно его проводить до камеры, напутствовать, так сказать, сил чтоб у него прибавилось?

— Конечно, — не стала спорить Вера. — Вместе и проводим.

Вера в любом случае хотела проводить Станислава. Но она опасалась, что в коридоре соберется вся труппа, которая, разумеется, не станет пытаться отбить своего товарища, но криков и возмущений не избежать. Но в коридоре никого не было. И потому спокойно и молча спустились на лифте на первую пассажирскую палубу, потом по внутреннему трапу перешли в помещения, где располагались каюты команды и служебные помещения. Остановились у металлической двери, возле которой Станислав и вовсе врос в землю, а когда дверь отворили, он испуганно посмотрел на мрачное помещение без иллюминатора и с бледным ночником на стене. В каютке стояла единственная кровать, с деревянной плоскостью вместо панцирной сетки... На плоскости лежали свернутые в трубку тонкий матрас, подушка и комплект постельного белья.

Холмский опустился на кровать и спросил обреченно:

— Что я должен снять? Ремень? Галстук? Но

галстука у меня нет... Шнурки? Говорите, подсказывайте — я ведь в первый раз...

Он наклонился и начал расшнуровывать ботинки. Бросил шнурки ко входу, потом бросил туда и узкий брючный ремешок и тихо заплакал.

— Позвольте проститься? — спросил Волков у капитана самым бархатным тембром, на который только был спокоен.

Шкалик дернул плечом, и Федор Андреевич вошел внутрь. Присел рядом с молодым человеком, положил ему на плечо руку, привлек к себе и что-то шепнул на ухо. Холмский кивнул.

Народный артист поднялся и посмотрел на капитана:

— Ну все.

Дверь камеры закрыли. Одного из матросов оставили сторожить, что вызвало возмущение у Федора Андреевича.

— А зачем такое дополнительное унижение?! — воскликнул он.

— Чтоб сообщники не отбили, — объяснила Вера.

— Какие еще сообщники? — удивился Волков.

— Карбонарии на лошадях. Все в черном и в черных полумасках.

— А-а, если в этом смысле, то тогда конечно, — протянул народный артист.

Шкалик, слышавший этот короткий разговор, взорвался.

— Мне эти ваши, простите, за слишком мягкие выражения, игры — во где! — Он провел ребром ладони по своему горлу. — И так людей не хватает, а тут еще наверху пост организуй, здесь — тоже. Если до Питера дойдем без происшествий — считайте, что повезло вам.

Они подошли к лифту. Капитан отпустил матроса взмахом руки, а когда вошел в кабину, обратился к Вере.

— Может, фамилию изменить, чтобы уже не было никаких сомнений? Буду не Шкалик, а Шкаликов. Ведь был такой поэт знаменитый.

— Шпаликов, — поправил Федор Андреевич и продекламировал:

> По несчастью или к счастью, истина проста:
> Никогда не возвращайся в прежние места,
> Даже если пепелище выглядит вполне,
> Не найти того, что ищем, ни тебе, ни мне...

Лифт остановился, все вышли, дошли втроем до каюты Веры, капитан попрощался:

— Счастливо остаться.

— Я к вам заскочу на мостик на несколько минут, — предупредила Вера.

— Если только на несколько, — отозвался Шкалик.

Похоже, все происходящее его раздражало очень сильно..

Он ушел, Вера открыла ключом дверь, пригласила Волкова войти, но сама заходить не стала, предупредила Федора Андреевича, что скоро вернется, и поспешила на ходовой мостик.

Григорий Михайлович, увидев ее, скривился:

— Опять вы! Что надо еще? Преступника вы вроде того что задержали...

— Ну, это суд решит, кто здесь преступник. А пока будем считать, что он там для его же спокойствия. А сейчас мне надо связаться с берегом.

Вера позвонила Окуневу и дала указание выяснить все про банкира по имени Роберт, взорванного в середине девяностых в автомобиле вместе с водителем. Все, включая близких родственников и их местонахождение.

— Все проверю, — пообещал Егорыч. — Движение средств на счетах, возможные криминальные связи. Все как обычно.

Глава 18

Вера вернулась в каюту и застала там помимо Волкова еще и Таню Хорошавину, и Сергея Иртеньева.

Все трое были возбуждены и громко разговаривали. При появлении Веры Федор Андреевич поднялся, Сергей тоже вскочил.

— Вот! — со значением произнес Волков и указал на Иртеньева. — Молодые люди пришли сюда, чтобы все прояснить. У них есть что сказать, а следовательно, расставить все точки над, сами понимаете, какой буквой. Рассказывай, Сережа.

Иртеньев замялся, собираясь с мыслями, и его опередила Таня.

— Вера, вы... То есть ты меня спросила, почему я тогда возвращалась туда... к Герберовой... Ну, когда обнаружила ее мертвой... Дело в том, что, когда мы стали выгружать тарелочки и все уже почти выставили, Сережа увидел на своем подносе тот самый нож...

Она посмотрела на Иртеньева, тот продолжил:

— Ну да. Очевидно, кто-то поднял его с пола и положил не на стол, а на поднос, а когда я начал загружать тарелками с закусками, то не заметил ножа — он был в сложенном положении. И в номере Герберовой я выложил его на стол и даже раскрыл, то есть вытащил лезвие — не знаю зачем, вероятно, машинально. Помню, что раскрыл, начал рассматривать, потом Таня отвлекла меня, я положил его на стол.

— Я тогда сказала, что неплохо бы Элеоноре на постель положить тюбик с тональным кремом, который лежит на тумбочке. Открыть его и подбросить неприметно. Вдруг она придет, бухнется на кровать и вся измажется... Все свое платье шикарное испортит.

— Здорово придумали! — оценил Федор Андреевич. — Талантливо! Молодцы! Но лучше подкладывать кетчуп — и тюбик побольше! На заднице красное пятно смотрелось бы очень эффектно! Хотя что сейчас об этом говорить? — Он замолчал, обвел всех взглядом. — Я перебил, кажется, ну извините.

— Тюбик с тональником мы подложили и сразу ушли, а потому нож там остался, — продолжила Таня. — Так что можете сверить наши показания и показания Стасика. И посмотреть, на месте ли тот тюбик.

Вера молчала.

— А когда уже в зале были, Сережа вспомнил, что нож остался наверху, хотел сам туда пойти, но я сказала, что сбегаю и заберу. Вошла и увидела ее мертвой.

— Ну вот! — обрадовался Федор Андреевич. — Все и прояснилось. Вы почему молчите, Вера? Вам, что ли, царица, доказательства нужны?

Волков находился в состоянии радостного нетерпения, очевидно, предполагая, что теперь они все вместе спустятся вниз к помещениям команды, подойдут к карцеру. Темницы сразу рухнут и свобода...

— Погодите, — остановила его порыв Вера и обратилась к Хорошавиной.

— Таня, когда ты вошла... Прости, конечно, что заставляю вспоминать неприятное, но скажи: Элеонора Робертовна еще дышала?..

Девушка напряглась и кивнула.

— Да, как мне показалась, она была еще жива... Пыталась сделать вдох и все — замерла.

— И ты никого не видела: ни у лифта, ни в коридоре? Я почему спрашиваю: судя по характеру раны, смерть была почти мгновенной... Самое большее — минута с момента удара и до наступления смерти. Эксперты скажут точнее, когда прибудут сюда. Но если я права, то в момент, когда ты, Танечка, заходила в каюту Герберовой, убийца был где-то рядом.

— Но не было никого, — растерянно проговорила Таня. — По крайней мере, я не видела. А если вы думаете на Софьина, то зря. Когда он мне открыл, он был спокоен, без рубашки, даже в одной майке, на столе у него стоял открытый ноутбук... Борис Борисович работал. Когда я сообщила ему, что увидела там... У него даже глаза на лоб вылезли, так он удивился.

— Тогда Гибель Эскадры это сделал, — уверенно заявил Волков. — Бабло делили они с Элеонорой и перессорились. Скаудер схватил нож — он человек вспыльчивый. Раз — и ударил. Может, и не собирался, конечно, но так уж вышло... А теперь бедного Стасика подговорил, чтобы тот взял вину на себя!

— Стасик ваш не так прост, — заметила Вера. — И актер он, как мне кажется, очень даже неплохой. Иногда только не выдерживает напряжения, но это в жизни, а на сцене мог бы удивлять переменой настроения. И к тому же не глуп. Он понимает прекрасно, что улик против него никаких.

— Актером Стасик и в самом деле мог стать замечательным, но при нашем режиссере вряд ли это произойдет, — сказал Волков. — Гибель Эскадры гонится за внешними эффектами — у него что не постановка, то трагедия положений, в каждой пьесе свой нерв, своя жизнь, и все зависит не от взгляда режиссера, а от взгляда зрителя, оценивающего актерскую игру. К примеру, нянька Анфиса в исполнении нашей несравненной Кудрявцевой. У Чехова — это единственный персонаж, возраст которого указан — восемьдесят лет. А вспомните, ребята, как наша Валерия Дмитриевна, то бишь Анфиса, Вершинину письмо подает! С таким достоинством, будто сама его написала. Как будто Татьяна Ларина перед Онегиным... У Чехова этого нет, потому что в его времена не было такого уровня актрис. А теперь вот Лерочка из-за денег готова всем рискнуть — и чесом по Норвегии...

— Мне кажется, мы о другом говорили, — напомнила Вера.

— Простите, — вздохнул Волков. — Но все одно к одному: убийство это, теперь Стасик. А если и в самом деле Гибель Эскадры собственноручно Элеонору порешил?

— Не думаю, — ответила Вера. — Хотя в жизни случается всякое. А вот что это не Станислав — почти наверняка. Нож ведь на столе там лежал, а он утверждает, будто принес его с собой. Единственная улика — бутылка, но любой адвокат в суде докажет, что таких бутылок великое множество, и это не та самая, что находилась в каюте Герберовой. А потом есть ли свидетели, что она была там — эта бутылка? Вы ее там видели?

Вопрос относился к Хорошавиной и к Иртеньеву. Они переглянулись.

— Я не уверена, — пожала плечами Танечка.

— А я так точно не видел, — уверенно заявил Сергей. — Не было.

— И если на орудии убийства нет отпечатков Холмского, то доказать его вину не удастся, если, конечно, не будет свидетелей самого момента, когда он наносил удар.

— А таких нет, — не то спросил, не то утвердил Волков. — Ведь если бы имелись свидетели, мы бы о них знали. — Он посмотрел на Хорошавину и Иртеньева и произнес примирительно: — Ну вот и прояснилось наконец, а вы крик устроили: «Посадит она его!»

— Я такого не говорила, — возмутилась Таня.

— Не ты, так другие. А я сказал, что начитанный человек, каким, несомненно, является Вера Николаевна, человек воспитанный на классической русской литературе, не может быть жестоким и подлым, не может быть несправедливым и скользким. Пошли, ребята. Мы — артисты и наше место в буфете!

Они ушли, а Вера продолжила размышлять. На самом деле подозреваемый остается только один — тот, про которого она думала с самого начала. И у него был веский повод убить Герберову.

Глава 19

Матрос, но уже другой, также скучал на стуле возле каюты, в которой лежало тело Герберовой.

— Не надоело тут торчать? — обратилась к нему Вера Бережная.

— Хуже горькой редьки! — ответил парень. — А вы все как сговорились: слово в слово спрашиваете!

— Кто все?

— Вы сейчас... До вас — этот главный над артистами, — матрос мотнул головой в сторону каюты Скаудера. — Судовладелец, естественно, когда мимо проходил. Потом парень еще, который тоже из артистов.

— Какой парень? — оживилась Вера. — Тот, что с девушкой недавно от меня ушел?

— Нет, не он — другой. Крепкий такой. Руки мускулистые, очень спокойный.

— А к кому он приходил? — спросила Вера, догадываясь, что речь идет об Артеме Кирееве.

— Откуда я знаю? Он подошел, спросил: «Не надоело ли тебе здесь торчать?» А потом вроде как к вам направился, но я предупредил, что вас нет. И он ушел.

Вера подумала немного и попросила:

— Открой мне дверь.

— Капитан прикажет — открою.

— А то, что расследованием занимаюсь я, Шкалик тебе не говорил разве? Откроешь, я еще раз там все осмотрю, а потом приму решение — снять этот дурацкий пост или нет.

Возражений не последовало.

Вера вошла внутрь, подошла к трупу. Присела на корточки, стараясь не смотреть на застывшее лицо Герберовой, ее внимание было сосредоточено на ноже. Визуально определить наличие отпечатков пальцев не удалось. Угадывались какие-то размазанные жировые следы. Скорее всего, тот, кто совершил убийство, сделал это хладнокровно и специально оставил нож, обтерев рукоятку салфеткой.

Вера еще раз осмотрела комнату и стол с черствеющими закусками, зашла в туалетную комнату, заглянула даже в унитаз и увидела прилипший к его стенке комок влажной салфетки. Вернулась в комнату, выдвинула ящик туалетного столика, где была навалена косметика, там же был небольшой полиэтиленовый пакетик, в котором лежали паспорта Герберовой. Вера взяла этот пакет, вернулась в туалет и, достав салфетку, спрятала ее в пакет. Причем сделала это просто так, следов на салфетке ведь все равно не осталось. Потом подошла к кровати и увидела на ней раскрытый тюбик с тональным кремом. Выходит, Хорошавина с Иртеньевым сказали правду. Значит, и про нож, который они принесли с собой, не придумали тоже.

Но ведь можно быть правдивым в мелочах, но

соврать в главном. Хотя про нож им в таком случае говорить было бы совсем необязательно.

Вера вышла из каюты.

— Ну как? — спросил матрос. — Мне можно идти?

— Схожу к Шкалику, попрошу, чтобы унесли тело, а потом можно снимать пост. Хотя...

— Что, еще сидеть?– испугался матрос.

— Разве что часок.

Парень посмотрел на часы.

— Значит, до шести тридцати?

Вера кивнула и по рации связалась с капитаном, сообщила, что тело можно уносить.

— Слава богу! — обрадовался капитан. — А то моряков мучить сил моих нет больше!

За дверью каюты Гилберта Яновича стояла тишина. Вера постучала. Потом еще и еще. Посмотрела на матроса, тот кивнул: значит, Скаудер никуда не выходил.

Вера постучала еще раз и громко произнесла:

— Гилберт Янович, это Вера Бережная.

Дверь тут же отворилась. Как и предполагала Вера, Гибель Эскадры стоял непосредственно за дверью и прислушивался.

— Вы кого-то боитесь? — шепнула она, когда дверь за ней закрылась.

— А вы разве нет? — таким же шепотом ответил он. — Такие вещи на корабле происходят! Вот взяли вы Стасика... А уверенность, что именно он убийца, у вас есть?

— Откуда вы знаете, что я его взяла? — уже нормальным голосом спросила Вера. — На обед вы не ходили, к вам никто не заходил вроде и мобильной связи на корабле сейчас нет.

— Земля слухами полнится.

— Какая земля? Море вокруг, — усмехнулась Вера.

Гибель Эскадры вздохнул и признался:

— Я выглядывал из каюты, когда к вам капитан с матросами шли, и сразу понял, с какой целью они направляются. Потом под дверью стоял, слушал, как вы несчастного парня уводите. Не того вы взяли! Не того!

— А зачем тогда вы заставили Стасика взять вину на себя?

Вера по-прежнему оставалась на пороге, не проходя внутрь.

— Кто заставил? — вытаращил глаза Скаудер. — Я?! То есть вы заявляете мне, что это я заставил Стасика взять вину на себя? Побойтесь бога! Бог правду видит!

— Но раз видит, то наверняка Холмскому ничего не угрожает. А вы написали чистосердечное признание о том, как Герберова вымогала у вас откаты?

Гибель Эскадры не ответил.

— Вы же сами хотели, — напомнила Вера.

— Что я хотел? Ну, сказал вам, не подумав. Теперь, может быть, жалею о данном слове. Не о данном, потому что я вам ничего не обещал, а о сказанном в суете и тревоге. Слово не воробей, сами знаете, вылетит — не поймаешь.

— Это ваше право: выпускать воробьев или ловить. Но вскоре вашим делом будут заниматься более компетентные специалисты. Просто на начальном этапе я могла бы помочь, но раз вы собираетесь испить эту чашу позора до самого дна...

Вера повернулась и взялась за ручку двери.

— Нет-нет! — закричал Гибель Эскадры. — Куда вы сразу? Я же не сказал, что не напишу! Сейчас прямо и сяду, только обдумаю, как писать правильно.

— Орфографию я подправлю в случае чего.

— Я не о том. Просто не хочу, чтобы пострадали посторонние люди.

— Вы Бориса Борисович имеете в виду?

Скаудер опять перешел на шепот:

— А при чем здесь он? Во всем виновата покойная Герберова.

— Так и пишите: тогда-то, при таких-то обстоятельствах, в присутствии того-то...

— Все происходило с глазу на глаз, — проговорил Скаудер. — И даже не в ее кабинете.

— Мне это известно. Не в ее кабинете и не в вашем. Знаю, что она подобные разговоры вела только у себя дома.

— Ну да. Так оно и было. Я каждый раз приезжал к ней домой, где она давала установки.

Гилберт Янович посмотрел на Веру и вздохнул:

— Прямо сейчас сажусь писать.

— До ужина успеете?

— А во сколько? Мы ведь планировали сегодня праздничный капустник закатить. Все же поездка заканчивается. Всем хотелось напоследок... Но тут какие праздники, чему радоваться? Да еще Стасик в застенках. — Скаудер опять вздохнул.

— Насчет Стасика не волнуйтесь. Мне кажется, к началу ужина или чуть позже я назову имя настоящего убийцы.

— Да вы что! — не поверил Скаудер. — Тогда, конечно, можно и праздничный ужин устроить. Только с выпивкой не переборщить. В семь вечера мы планировали. Даже специально продукты в Стокгольме закупили на этот случай. Я бы сбегал к ребятам, предупредил, обрадовал бы всех, что все в силе, но, сами понимаете, надо признательное письмо писать, и вообще опасно.

Гибель Эскадры снова погрустнел.

— Вы пишите, — успокоила его Вера. — Я сама скажу вашим артистам, что сегодня можно будет в последний раз немного расслабиться.

— Именно так и скажите. А еще передайте им, что к семи я и сам спущусь. А еще попросите, пожалуйста, капитана, чтобы он приказал матросу меня сопровождать.

— Матроса не будет, — решительно ответила

Вера. — Пост скоро снимут, но я пришлю за вами Киреева. На вид Артем парень крепкий.

— Очень крепкий, — закивал Гилберт Янович. — Вы даже представить себе не можете, насколько он силен! Кстати, сегодняшний прощальный ужин мы планировали заранее, и Борис Борисович обещался на нем присутствовать. Увы, вместе с Элеонорой Робертовной. Но вы его предупредите о том, что все в силе остается. Уж извините, что прошу об этом вас, но мне надо писать покаянное письмо.

Когда Вера вышла, она услышала, как почти сразу в двери щелкнул замок.

Глава 20

Артем Киреев находился в своей каюте не один. Там присутствовала еще и Таня Хорошавина. Артем сидел на кровати, Таня — в кресле возле стола. Возможно, они о чем-то и разговаривали, но, когда Вера вошла, смотрели они в разные стороны и молчали.

— Только что была у Гибеля Эскадры, — с порога объявила Вера. — Заходила к нему сообщить, что все подходит к концу: и путешествие, и тревоги, и все наши неприятности.

— Так уж и ваши, — не очень любезно отреагировал Артем.

Но Вера пропустила его замечание мимо ушей.

— Короче говоря, Скаудер просил передать, что прощальный ужин, который планировался заранее, все же состоится.

— С какой радости? — снова недовольно отозвался Артем. — На борту труп. Стасик в камере. Представляю, как ему там весело.

— Так мы его выпустим, посадим за стол, скажем, что всякое случается в жизни, и плохое, и хорошее, — улыбнулась Вера. — Плохое уже позади...

— Не верю я вам, — мрачно проговорил Киреев.

— Артем, прекрати! — не выдержала Таня.

И с надеждой посмотрела на Веру.

— Вы... То есть ты уже во всем разобралась?

— Почти. Но то, что Холмский ни при чем, знаю точно.

— Так выпускайте его! — потребовал Киреев.

— Обязательно выпущу. Прямо вместе с тобой пойдем и отпустим. Только сначала поговорим наедине.

— Так вы и так уже все знаете, — буркнул Артем.

Вера повернулась к Хорошавиной:

— Танечка, можно я попрошу тебя объявить всем, что ужин будет? Пусть начинают готовиться. Вроде как меньше часа осталось.

— Да, конечно.

Девушка встала, подошла к двери, но, уже взявшись за ручку, обернулась:

— Артем, я тебя прошу быть повежливее.

И вышла.

Подождав, когда Хорошавина уйдет на какое-то расстояние, Вера сказала:

— Артем, претендентов на роль убийцы не так много осталось.

— Это не мое амплуа, — тут же отреагировал Киреев.

— А я тебе и не предлагаю. Просто, если мы не установим точно, кто это сделал, то потом это будет сделать значительно труднее, а может, даже и невозможно. Кандидатов, как я сказала, несколько. Не буду называть...

— Нет, вы скажите! — потребовал Артем.

Вера не стала скрывать:

— Ты, Козленков, Ручьев и Волков.

— Вы в своем уме? — рассмеялся Артем. — Вы же сами говорили, что Федор Андреевич — единственный, кто вне подозрений. Он же все время в зале был!

— Кому я об этом говорила? Тебе разве? Я говорила об этом только одному человеку, а именно — самому Волкову. Я считала, что он все время находился рядом, но это не так... Он говорит, что во время моего разговора с Герберовой танцевал с Алисой Иртеньевой, но ее тогда в зале не было.

— Разве?

— Так и ты не можешь знать это наверняка. Ты же тоже отсутствовал в тот самый момент.

Но Волков для следствия вне подозрений, начнут трясти тебя, потому что именно ты был ближе всех к Элеоноре Робертовне.

Молодой актер напрягся, но произнес спокойно и даже немного развязно:

— Это угроза?

— Отнюдь. Мы просто разговариваем. Я выясняю, когда и при каких обстоятельствах ты видел Герберову в последний раз.

Киреев задумался.

— Я имею право хранить молчание?

— Я же не следователь, Артем, — мягко проговорила Вера. — И записей на диктофон или на мобильный телефон не осуществляю. Можешь меня обыскать, если не веришь.

Артем усмехнулся, очевидно, представив, как он это будет делать, а Вера продолжила:

— Я такое же гражданское лицо, как и ты. Но я — частный детектив, а ты хороший актер, которому пророчат отличное будущее, хотя и в узких рамках амплуа, популярного ныне.

Киреев некоторое время молчал, раздумывая, но потом кивнул:

— Хорошо, расскажу все как на духу. Если бы вы были следователем, никогда бы не признался. Я был у нее в каюте непосредственно перед убийством. Времени точного не знаю, но предполагаю. Я пришел с ней поговорить, чтобы она отказалась от этой затеи провести ночь вместе с вами... Вы ведь подумали, что она зовет вас просто поболтать? Но Элеонора ничего просто так не делает... То есть не делала: у нее все с каким-то расчетом было. Мне она сказала, чтобы я убирался, вас она собиралась накачать вином или еще чем-нибудь. Так и сказала, накачаю, а потом опущу эту выскочку.

— Сомневаюсь я, — усмехнулась Вера.

— Она опытная в этих делах. Она мстит всем. Мстит за отца, которого взорвали. За мать, которая бросила ее, за сестру, которая вышла замуж за подонка. А подонок этот Элеонору изнасиловал и насиловал всякий раз, когда его жены, то есть сестры Элеоноры, не было дома. Потом он устроил ее на филфак, потому что шансов поступить честно у нее не было. А он оплачивал учебу, а когда ей стало там скучно, перевел на театроведческий. У него были деньги, были возможности и связи. Элеонора пользовалась этим, ей нравилось пользоваться чужими деньгами и чужими связями. Она уже была испорчена тем подонком, но ей очень хотелось стать выше его, иметь больше, чем имеет он...

— Вы знаете его имя?

— Нет, она никогда не называла его. А когда однажды зашел разговор о сестре и ее муже, сказала только, что закопала и ее, и его.

— Она убила их?

— Не знаю, — Артем пожал плечами. — Может быть, уничтожила другим способом. Например, разорила, довела до полной нищеты. Но хватит об этом. Вчера, то есть сегодня, ночью она выставила меня, сказала, что накачает вас вином. Вполне возможно, что у нее в мини-баре еще что-то было припасено. Но я схватил эту бутылку и ушел. Внизу встретил Холмского и отдал ему. Стасик любит красное вино, не знаю, часто ли он употребляет спиртное, но бордо пьет с большим удовольствием. Отдал ему бутылку, а теперь она, как я полагаю, является главной уликой против Стасика.

— Я не считаю Холмского убийцей. Если бы он убил Герберову и по непонятной дурости прихватил бутылку бордо, то не стал бы отдавать ее Козленкову, потому что все тут же поняли бы, кто убил. Я просто пыталась выяснить, от кого он получил вино, считала, что дал ты, и не ошиблась. А то, что ты не убивал, тоже поняла. Не сразу, конечно. Но надо быть законченным подонком, чтобы убить любящую тебя женщину. А ты — незаконченный и не подонок. Я не очень жестко излагаю?

Киреев напрягся.

— Кто вам сказал, что она меня любила.

— Прости, но я слышала отрывок вашего разговора в каюте, она что-то выговаривала вам...

— Элеонора никого не любила, уверяю вас — вы заблуждаетесь.

Но Вера покачала головой:

— Злобная, мстительная, эгоистка и карьеристка, но она любила тебя, и ненавидела себя за подобную слабость, и вымещала эту ненависть на тебе. Да и ты сам понимал это. Потому что, прости за проникновение в тему, но в постели любящие и нелюбящие женщины ведут себя по-разному, произносят разные слова, так же как любимые и нелюбимые. Тебе ли это не знать? Ты — не глупый человек, ты — актер, ты тонко чувствуешь чужую ложь, чужую игру, чужое притворство...

— Хватит! — закричал Артем. — Достаточно! Ни слова больше! Я же с ней не ради карьеры... Сначала думал, конечно, что она поможет выбиться... Потом эта ее болезненная страсть, до извращения болезненная, так притянула... Она мучила меня, а я, мучаясь, наслаждался. Она спрашивала постоянно: «Может, тебе мало меня одной? Может, пригласим еще кого-нибудь? Давай Танечку Хорошавину позовем?» Я ей как-то проговорился, что Таня мне нравилась... То есть нравится. Так она ее еще больше возненавидела. А ребенка Татьяны так вообще! А что ребенок Тани ей плохого сделал? Может, от того, что Эля сама не могла иметь детей...

— А кто у Элеоноры Робертовны из родных остался? — спросила Вера. — Кто ее хоронить будет? Я бы постаралась найти ее мать, если та еще жива, или сестру... Но на это потребуется время.

— Я сам ее похороню. В конце концов, не чужие друг другу люди. Про мать ничего не знаю, но с сестрой Эля не общалась. Она считала, что ее обделили при дележе наследства. А сестра уверяла, что после гибели отца остались лишь долги, и это Элеонора должна ей за свое содержание, оплату образования и прочее. Она мне жаловалась, что сестра со своим муженьком над ней всегда издевались. Она даже мне говорила: «Не дай тебе бог пережить подобные унижения».

— Она верила в бога?

Киреев задумался.

— Не уверен. Мы на подобные темы не разговаривали. Хотя однажды она высказалась на предмет того, что единственная приемлемая религия для нее — это вуду. Что она хотела бы этим заняться.

— Вероятно, потому что там в ритуальных обрядах используются куклы, — не смогла сдержать усмешки Вера.

— Не знаю. Но она собирала литературу о вуду, хотела даже отправиться на Гаити, чтобы изучать предмет там и постараться стать мамбо.

— Кем?

— Мамбо — это жрица вуду, которая танцами и заклинаньями вводит людей в транс, а потом получает от них предсказания о будущем. Мамбо танцует вокруг шеста или столба. А еще она отрубает голову петуху... Элеонора попробовала это в какой-то деревне, и ей понравилось. Она считала, что стала бы могущественной мамбо.

— Но во всех ритуалах вуду присутствует не только музыка и танцы, но и секс, — сказала Вера. — Я, правда, не разбираюсь в этом совсем, но то, что я слышала...

— Это то, что как раз ей больше всего нравилось, — вздохнул Артем. — Прошу вас, не надо больше об этом. Зачем ворошить? Еще вопросы у вас будут?

— Если тебе нечего сказать...

Киреев покачал головой.

Вера поднялась, собираясь уходить.

— Стойте! — воскликнул Артем. — Насчет Волкова и Ручьева... И Козленкова, — продолжил он после паузы. — Даже не думайте: никто из них не способен на убийство.

— Я и не думаю. Но я знаю, что ни один человек даже про себя не догадывается, на что он сам способен, а чтобы решать, на что способны другие...

Глава 21

Вера постучала в дверь каюты Софьина. Послышались шаги, и на пороге появился Борис Борисович.

— А-а, Верочка! Проходите, а то я тут замаялся в одиночестве.

— В другой раз, — пообещала Вера. — Я заглянула к вам по просьбе Гилберта Яновича, чтобы предупредить: праздничный ужин, намеченный на сегодня, все же состоится, и вас там ждут, согласно данному вами обещанию присутствовать.

— Приду, разумеется, — кивнул Софьин. — Хотя праздновать-то особо нечего. Этот несчастный парень... Как он мог решиться на такое? Я до сих пор не верю, что это сделал Стасик Холмский. Возможна ошибка, а, Верочка? Но в любом случае я найму хорошего адвоката и оплачу все судебные издержки. У меня есть один такой... Пройдоха, конечно. Но он умеет договариваться с судьями. Вы лучше меня знаете, как такие вещи творятся... Что Стасику грозит?

— Грозит много. Но в его случае, учитывая личность убитой, можно статью переквалифицировать.

— Простите, не понял: как переквалифицировать это убийство — на убийство государственного чиновника, что ли? За это снисхождение, по-вашему, полагается меньший срок?

— Размечтались! — рассмеялась Вера. — Хотя для многих в нашей стране такое послабление стало бы почти индульгенцией и чиновников бы значительно поубавилось. Речь о другом: можно переквалифицировать на сто седьмую статью — на убийство в состоянии аффекта. Если в процессе судебного заседания докажут, что жертва неоднократно оскорбляла, издевалась над подсудимым, совершала насильственные и развратные действия в отношении подсудимого, в результате чего возникла психотравмирующая ситуация...

— Погодите, погодите! — перебил Софьин. — Зачем же оговаривать человека, пусть даже покойного? Я понимаю, благая цель, но стоит ли чернить имя Элеоноры Робертовны, которую все так уважали?

— Я сказала, что, если в суде будет доказано то, что я перечислила, при хорошем адвокате — исправительные работы до двух лет, либо — ограничение свободы до трех лет. То есть целых три года только: работа — дом, дом — работа. И никаких зарубежных гастролей.

— Надо же, — удивился Софьин. — Какой закон у нас мягкий!

— Так у нас люди писали его под себя, чтобы в случае чего... Ну, вы понимаете, о чем я, у вас же есть знакомые депутаты. Так что делайте выводы, Борис Борисович.

— М-да, — покачал головой Софьин. — Дела! Но я Стасику в любом случае помогу, как и обещал. И на ужин сегодня приду, тоже обещаю. Может, вместе спустимся?

— Обязательно, — улыбнулась в ответ Вера и отправилась на ходовой мостик.

На мостике, как и прежде, были только капитан и штурман. Капитан стоял у приборов, штурман сидел в кресле.

— Те же и посторонняя баба на корабле, — громко произнесла Вера, объявляя о своем появлении.

— Ну зачем же вы так? — отозвался капитан. — Вы не баба, а очень обаятельная женщина. А вот по поводу сказанных вами слов насчет «все тех же» особо не распространяйтесь никому, потому что весь наш рейс — сплошное нарушение шестой части Устава службы на судах Российской Федерации, той части, которая касается вахтенной службы.

— Я не знала.

— Вот, уважаемая Вера Николаевна, не все-то вы, оказывается, знаете, — улыбнулся капитан. — А потому еще раз прошу никому не говорить то, что вы сейчас и до этого видели. На ходовом мостике постоянно должен находиться рулевой-моторист и вахтенный помощник капитана. И сам капитан может. А мы тут нарушаем все и вся из-за желания судовладельца экономить на святом. Рулевой-моторист сейчас в команде один, а нужно иметь как минимум двоих. Наш, который один-единственный, стоял здесь. Его отправили отдыхать, а потом вдруг подняли и отправили охранять каюту, в которой произошло ЧП. Теперь мы со штурманом подменяем друг друга. Правда, когда рулевого-моториста на посту охраны возле каюты подменяет судовой электрик, то мы немного отдыхаем, что тоже нарушение устава, потому что ходовая двухсменная вахта имеет продолжительность шесть часов, а трехсменная — по четыре...

— Простите меня, — виновато улыбнулась Вера.

— При чем тут вы? Это пускай Софьин у нас прощение вымаливает или компенсирует материально. А вы опять позвонить?

— В последний раз, обещаю вам.

— Надеюсь. Мы тут на свой страх и риск скорость увеличили до двадцати пяти узлов, можно еще парочку прибавить, но пока хватает. Навстречу нам движется катер береговой охраны «Соболь», на борту которого оперативно-следственная бригада следственного комитета. Ее возглавляет какой-то чин, пожелавший встретиться с вами лично.

— Если Евдокимов, то я рада буду.

— Да, вроде бы это полковник юстиции Евдокимов, как мне передали. И вот задачка из школьного учебника за третий класс: в море навстречу друг другу движется пассажирский почти что лайнер водоизмещением пять тысяч тонн и скоростью двадцать пять узлов и катер со скоростью сорок узлов. Во сколько они встретятся, если расстояние...

— Можно я сразу в ответы загляну? — усмехнулась Вера. — В конце учебника полагается.

— Конечно, можно, — добродушно ответил капитан. — Ответ таков: встретятся они в районе двадцати двух тридцати, предварительно оповестив друг друга гудками.

— Хорошее известие! — обрадовалась Вера.

Она в очередной раз позвонила Окуневу, и тот сразу сообщил, что есть много интересной информации. Начал было обстоятельно докладывать, но Вера не дала ему долго распространяться.

— Только самую суть и коротко, — приказала она.

— Кратко не получится, — ответил Егорыч. — Давайте я вам тогда сообщение отправлю, раз спешите. Текст у меня есть, а вы распечатаете где-нибудь.

— Погоди, я узнаю у капитана, возможно ли принять текстовое сообщение.

Григорий Михайлович кивнул.

— Да, возможно все, — ответила Вера Окуневу.

— Вера Николаевна! — возмутился он. — И чего было узнавать? Вы что, сомневаетесь в моих способностях? И вообще, почему вы общаетесь со мной по радиотелефону, когда я могу устроить вам мобильную связь через морские терминалы связи? Там, правда, пропускают звонки и сообщения по предоплатной карте и, хотя стоят они не так уж и дорого, с нас, надеюсь, денег не попросят. Если хотите, налажу связь между нами за пять-шесть минут, а сообщение пришлю немедленно.

— Давай сообщение, а потом налаживай связь. Еще вопрос: я смогу связываться с кем-то, кроме тебя?

— Запросто, хоть с Едокимовым, хотя... Ладно постараюсь помочь и с этим.

Тут же начались сыпаться эсэмэски. Шкалик, увидев, как Вера уткнулась в свой телефон, оценил.

— Какой у вас приятель замечательный! Все морские пин-коды знает. Хороший специалист?

— Самый лучший в мире, — ответила Вера, просматривая тексты сообщений и не веря тому, что читала. — Самый лучший в мире, — повторила она и добавила: — По нему давно американская тюрьма плачет.

Возвращаясь в свою каюту, Вера едва не столкнулась с Борисом Борисовичем, который спешил, судя по всему, от Гибеля Эскадры.

— Что читаем? — спросил он, увидев, что она уткнулась в свой мобильный.

— Инструкции, — ответила Вера. — Могу показать, но они скучные.

— Тогда не надо показывать, но прошу уделить мне пару минут.

— Слушаю вас, Борис Борисович. Какие у вас будут просьбы и вопросы?

— Видите ли, я зашел сейчас к Скаудеру и застал его за увлекательным занятием: написанием художественной прозы на тему «Как я дербанил народные деньги». Он даже поделился со мной избранными местами из переписки с вашими друзьями, Вера Николаевна.

— Надеюсь, стиль и слог не подкачали? Соответствуют уровню его режиссерского таланта?

— Вы напрасно иронизируете. Это более чем серьезно. Я попросил Гилберта Яновича ничего не писать. Я даже потребовал его не делать этого, и даже не потому, что он режиссер с мировым именем и мне в свое время пришлось приложить немалые усилия, чтобы убедить его прийти в захудалый театрик. Теперь театр «Тетрис» известен, популярен, востребован. В него закачаны огромные деньги. Даже не деньги, а людские судьбы в него закачаны — судьбы талантливых актеров, которые поверили Скаудеру. И теперь, в случае если он, поддавшись вашему давлению...

Вера подошла к своей каюте и достала ключ.

— Зайдемте, поговорим внутри, чтобы уже точно знать, что свидетелей нет.

— Ну да, — согласился Софьин и покосился в сторону каюты Герберовой. — А матроса убрали, как я погляжу.

— Нет необходимости в охране. Все и так уже ясно.

— В каком смысле?

— Преступник уже найден. Вы знаете это. Станислав Холмский сознался в совершенном злодеянии. Следствие, разумеется, проверит его показания. Скорее всего, они подтвердятся. Потом будет суд. Два года исправительных работ при вашем замечательном адвокате...

— А если это не он? Вот представьте, что несчастный Стасик ни при чем. Вдруг его подставили?

Вера указала Борису Борисовичу на кресло.

— Присаживайтесь.

Он дождался, когда сядет она, а потом опустился в кресло и сам.

— Раз зашел такой серьезный разговор, — начала Вера, — то признаюсь вам по секрету, что Стасик и в самом деле ни при чем. Вы же не думаете, что я всерьез рассматривала подобную версию? У меня есть серьезные основания полагать, что убийство совершил человек, про которого никто не мог ничего подобного подумать. У этого человека безупречная репутация.

— Вы меня интригуете, Вера Николаевна. Я сейчас бешено перебираю в уме всех наших с вами общих знакомых, и человека с безупречной репутацией в моей памяти нет.

— А Дмитрий Захарович Иноземцев?

— Иноземцев? — Софьин расхохотался. — Ну вы и скажете тоже!

От смеха у него даже слезы из глаз выступили.

— Согласен, у Дмитрия Захаровича безупречная репутация, — немного успокоившись, проговорил Софьин. — И даже слава великого сердцееда ее не омрачила. Но Иноземцева на нашем корабле нет. А все остальные... — Он вдруг замер. — Позвольте-позвольте. Один такой человек имеется...

Лицо его изменилось.

— Ради бога, Верочка, только не он! Я так

уважаю его игру. Это ведь... Вы точно не ошибаетесь?

— Увы, нет. Очень скоро начнется прощальный ужин. Мы вместе с вами спустимся туда. Даже если и опоздаем немного, то торжественную часть без нас не начнут. Потом мы все выпьем, поедим немного, расслабимся. И я выступлю с заявлением, которое, как мне кажется, прозвучит как гром среди ясного неба. Все будут возмущаться, спорить, доказывать что-то, хвататься за голову, кричать: «Вы с ума сошли, Вера Николаевна!» Я и сама подумала, что сошла с ума, но есть прямые улики. Очень скоро, даже скорее, чем мы с вами думали прежде, сюда прибудет оперативно-следственная группа во главе с самим полковником юстиции Евдокимовым. Всех дактилоскопируют для чистоты следствия, и, уверяю вас, преступником окажется тот, на кого я вам сегодня укажу.

— Не понял, а о каких отпечатках пальцев идет речь?

— Я все расскажу за столом. Только умоляю: если вдруг мне будет оказано сопротивление, вступитесь за меня.

— Конечно, — пообещал Софьин и предложил: — Но, может быть, лучше не ходить никуда? Нам ужин и в каюту принести могут, в вашу или в мою. Сорокалетнего «Ханки Баннестера» у меня нет, но кое-чем я вас удивлю. Напиток не хуже — я вас уверяю. Лучше во много раз! Вы удивитесь, когда я выставлю его на стол.

Вера задумалась.

— Заманчивое предложение. Мне кажется, что потом, после всего, что случится сегодня в ресторане, возможно, я захочу отметить это событие. Но только рюмочка, и не больше.

— Хорошо, — согласился Софьин. — Ловлю на слове. Сейчас я отправлюсь к себе собираться, да и вам тоже надо подготовиться к такому событию. Только не задерживайтесь, пожалуйста.

Он поднялся, шагнул к двери.

— У нас что-то вроде клубной вечеринки, я предполагаю, а не просто ужин. Если я надену черный смокинг и бабочку, у вас есть что-то соответствующее?

— Простое белое платье, — ответила Бережная. — Но очень элегантное. Постараюсь собраться побыстрее.

— Я не тороплю, но раз предстоит сегодня установление истины, то хотелось бы, чтобы она восторжествовала как можно быстрее. Но с другой стороны... — Софьин задумался, а потом продолжил: — Вы сказали о человеке с безупречной репутацией, а такой на моем корабле только один — это капитан. Простите, пошутил неудачно. Хотя у Шкалика действительно блестящие рекомендации. Но если убийца не он, то тогда действительно всех громом ударит, если я правильно понял, о ком вы.

— Идите уж, — улыбнулась олигарху Вера. — Время не ждет.

Глава 22

Но быстро собраться не получилось. Вера читала присланное Егорычем и пыталась осмыслить. Потом размышляла, какие действия надо предпринять сейчас, потому что веских доказательств вины все равно нет. Есть только предположения, основанные на логических выводах, и ничего другого. Можно, конечно, придумать что-нибудь, что подтолкнет убийцу к решительным действиям. Но как подтолкнуть к решительным действиям того, кто чувствует себя в полной безопасности, зная, что никто и никогда не подумает про него ничего плохого?

Вера еще раз поднялась на мостик. Переговорила с капитаном, поделилась с ним своими мыслями и попросила пистолет. Но Григорий Михайлович наотрез отказался отдавать ей оружие.

— Не имею права, — сказал он. — Я не сомневаюсь, что вы в отличие от меня умеете стрелять, а я так, пару раз в тире попробовал. Но за применение оружия на корабле отвечаю только я. И в случае если оно было применено неправомерно, мне придется отвечать по всей строгости. Пистолет нужен для того, чтобы защитить судно от захвата или когда жизни и здоровью пассажиров угрожает опасность... Давайте обсудим другие варианты.

Наконец Вера в длинном вечернем мерцающем платье — белом, как и обещала Софьину, с узким клатчем в руках и на шпильках, разумеется, вышла к ожидающему ее Софьину. Он восхищенно вскинул руки и произнес только одно слово:

— Браво!

Борис Борисович поцеловал ее руку и поинтересовался, взглянув на дверь каюты Герберовой:

— Зачем же капитан снял пост?

— Нет свободных матросов. Григорий Михалыч говорит, что судовладелец на всем экономит. Сейчас капитану нужен рулевой-моторист, а он как раз здесь стены подпирал.

— А кто Холмского охраняет? — спросил Софьин.

— Никто. Стасика выпустили для посещения праздничного ужина. А то что получается: все гуляют, а ему в четырех стенах сидеть?

— Мне отец то же самое говорил в детстве: все гуляют, а ты в четырех стенах сидишь, — усмехнулся Борис Борисович. — А я не сидел, я книжки читал, хотел многого добиться в жизни, стать как отец — старшим научным сотрудником в НИИ и получать двести пятьдесят рублей в месяц.

— Так и не стали?

— Почему же? Стал. Но младшим. Ожидал повышения. Даже написал диссертацию, но только защитить ее не успел. Началась перестройка, все завертелось: общественные организации, партии разные, а я активист... Правда, не партийный, а экологического движения.

Они вошли в лифт, и Вера вдруг вспомнила:

— Уболтали вы меня, Борис Борисович. Совсем забыла, что хотела забрать улику из каюты Герберовой!

Кабина двигалась вниз.

— А улика в вашу сумочку поместится? — поинтересовался Софьин.

— Вполне. Это салфетка с отпечатками пальцев убийцы и остатками смазки, которая была на только что купленном ноже.

— Давайте вернемся, — предложил Борис Борисович. — Раз такая важная вещь, то надо бы забрать.

Двери лифта открылись.

— Ладно, — легкомысленно махнула рукой Вера. — Ничего с уликой не случится. Никто же не знает, что она существует.

Все артисты были в сборе, уже сидели за столом, и сидели, судя по их напряженным лицам, уже давно. Увидев входящих Софьина в смокинге и Веру Бережную в вечернем платье, все поднялись и зааплодировали.

— Не надо оваций, — поднял руку Софьин. — Представление только начинается. Отложите свои восторги до финальной части.

Им оставили два места во главе стола, а с другой стороны напротив Веры и Бориса Борисовича находились места Волкова и Скаудера.

Все дождались, когда сядут почетные гости, после чего опустились на свои места. Стоять остался лишь один Федор Андреевич. Хлопнули открываемые бутылки, шампанское разливалось по бокалам. Смолкли разговоры и в полной тишине Волков произнес:

— Друзья! Вот и подходит к концу наше замечательное путешествие. К сожалению, не для всех оно оказалось таким замечательным. Но... Мы все вместе, мы живы, и ничто не заставит нас предать нашу дружбу и нашу профессию. Многие рвутся на сцену, порою не имея задатков и понимания, какой это тяжкий, порою неблагодарный труд.

Вера отыскала глазами Холмского, тот держал в руке бокал с шампанским и смотрел на стол прямо перед собой, очевидно, еще не понимая, что его выпустили не на один сегодняшний вечер, а навсегда.

— Мы с вами — дураки, святые дураки в своей слепой преданности театру. Мы порой не замечаем собственную бытовую неустроенность, жизненные неурядицы, но счастливы от того, что каждый вечер выходим на сцену, где нас ждут зрители...

Гибель Эскадры кинул взгляд на Софьина и дернул Волкова за пиджак:

— А покороче нельзя, Федор Андреевич? Сразу бы так и сказал: «Выпьем за дураков! Их тут целый корабль!»

— Ура! — крикнул Борис Борисович, поднимаясь. — За корабль дураков!

Все начали подниматься, чокаться. Холмский

пригубил немного и тихо заплакал. Таня Хорошавина взяла из его руки бокал, поставила на стол, после чего обняла Стасика и стала гладить его по голове, по спине, успокаивая. Молодой человек беззвучно рыдал.

— Некрасивая сцена, — прошептал Софьин, не оборачиваясь к Вере, но обращаясь именно к ней. — Вы все это спровоцировали, вам и разруливать. Давайте как-нибудь побыстрее.

— Разрулю, — так же негромко пообещала Вера.

Они сели, все остальные, глядя на них, тоже. Даже Таня со Стасиком опустились на свои места. Холмский уже перестал плакать.

Теперь поднялся Борис Адамович.

— Каждый сегодня скажет, что он думает о своей... Простите, друзья, о нашей профессии. Что он ждет от нее. Теперь я по старшинству возраста продолжу. Год назад ко мне приехал мой старый приятель, с которым мы учились вместе. Служит он в маленьком провинциальном театре. Ставки копеечные, театр небольшой, да и народ местный редко когда заполняет зал полностью. Им приходится мотаться по области, по деревням и селам, где остались еще какие-то Дома культуры. Сцены маленькие — двоим-то не разойтись. И добираются артисты в холодных автобусах, несколько часов туда и несколько обратно — область большая. Мороз за окном, ноги в валенках стынут... А приятель мой меня уверяет, что они все в этом пропахшем бензином салоне счастливы. Счастливы от того, что нужны людям. Счастливы от того, что выбрали именно эту профессию. А за себя скажу, что я надеюсь, что еще не все сказал в искусстве. У театра свои, может быть, планы, а у меня свои. Недавно написал новую пьесу...

— Ну пошло-поехало! — воскликнул Гибель Эскадры. — Сейчас начнется чтение пьесы и распределение ролей.

Ручьев замолчал.

— Господа, — обратился Скаудер ко всем. — Просьба к выступающим быть покороче, а то наш вечер перерастет в праздничное утро и не все успеют высказаться, а потом выспаться. Говори, Боря, за что мы сейчас выпьем?

— За присутствующих здесь дураков!

— К которым я себя не отношу, — успел вставить Гибель Эскадры.

Выпили еще раз, но Вера и в этот раз только пригубила бокал. Софьин заметил это.

— Что ж так не уважаете артистов?

— Оставляю место для того напитка, которым вы меня собирались угостить, — улыбнулась она. — И название которого почему-то скрываете.

Софьин весело взмахнул рукой.

— Могу раскрыть тайну: это коньяк. И не просто коньяк! Это легенда! «Реми Мартен» — черная жемчужина Луи Тринадцатого. Слыхали про такой? Сто сорок лет выдержки. Нам с Дезиком подарили по бутылке, когда мы вдвоем в его и мою министерскую бытность ездили на переговоры во Францию. Не знаю, выпил ли он свою бутылку, но я свою хранил до особого случая.

— Вы считаете, что сегодня особый случай? Вы, предполагая, что внезапно можете встретить меня на набережной Стокгольма, на всякий случай прихватили с собой бутылочку редчайшего коллекционного коньяка?

— Рад бы соврать, но не приучен ко лжи. Я день назад заключил важную сделку в Стокгольме. Приобрел все права на одного молодого и очень перспективного кубинского боксера, который приезжал на встречу со шведом. Швед известный, хотя уже и в возрасте. Очень опытный и тяжелее кубинца. В начале второго раунда наш паренек отправил шведа в глубокий нокаут, а заодно и на пенсию. И в первом раунде швед не мог попасть по нему ни разу. Потому что это невозможно. Кубинец так двигается! Второй Мухаммед Али — именно так написали про него в газетах. Это был его всего четвертый бой и первый, где соперник продержался до второго раунда. Не сомневаюсь, что он будет победителем турнира «Карибиен кап», хотя фавориты в принципе другие.

— Я в этом ничего не понимаю, — призналась Вера.

— Хватит болтать! — крикнул Скаудер.

Это относилось, разумеется, не к разговору Софьина с Верой, а ко всем остальным.

— Друзья мои! — начал Гибель Эскадры. — Вы все знаете, какие у нас планы, но вы даже представить себе не можете, какой нас ждет...

— Он сам-то верит в то, что говорит? — шепнула Софьину Вера. — Он отказался писать признание...

— Так я же его отговорил. Скаудер уверен, что смерть Герберовой спишет все грехи. Никто разбираться не будет. Смерть Элеоноры выгодна лишь одному человеку: а именно ему — Гилберту Яновичу. Вы это поняли и искали улики, доказательства. А я знал это с самого начала, просто не хотел говорить то, что видел.

— Что вы видели? — живо заинтересовалась Вера.

— Все или почти все. Хотел выйти из каюты, чтобы вернуться на ходовой мостик, но только дверь приоткрыл и вдруг увидел, как Гибель Эскадры выскочил из каюты Элеоноры и летит к своей с перекошенным лицом. Я не стал выходить и интересоваться. А вскоре ко мне стала ломиться Таня Хорошавина. Минуты две прошло, а может, и того меньше.

Вера слушала его внимательно и молчала. Софьин тихо продолжал:

— Решил никому ничего не говорить, все равно ведь доказательств нет. Непонятно, что они там не поделили, хотя это как раз понятно. Гилберт Янович — человек вспыльчивый, схватил лежащий на столе нож и ударил.

— Откуда вы знаете, что на столе лежал нож?

— Ну откуда-то этот нож взялся? Скаудер не принес его с собой. Он же не планировал убийство. Или вы думаете, что он мог заранее?..

— Я ничего не думаю, а верю только фактам.

— Так я и говорю. Схватил нож, который лежал на столе или на полу... Но ни в коем случае не принес его с собой, потому что заранее не готовил преступление... Я правильно мыслю?

— Правильно, — согласилась Вера.

— Герберова была еще та дамочка, как вы, вероятно, уже установили. Скаудер в запальчивости ударил ее ножом. Спас тем самым театр от разорения, от позора, от возможного обвинения ссбя в причастности к коррупции. Нервный и вспыльчивый человек не сдержался и что? Казнить теперь за это великого режиссера Скаудера? Конечно, я понимаю, нет ему прощенья, но пусть последующей жизнью искупает. Подумайте об этом, прежде чем предъявлять ему обвинение.

— Как у вас все просто! — усмехнулась Вера.

Борис Борисович не ответил.

— Вы знаете, что я за словом в карман не лезу, — продолжал Гибель Эскадры. — Что скажу, то и случится. Обещал великую славу театру — она уже на пороге. Обещал славу каждому — берите ее. Только для начала слушайте меня...

— Возвращаясь к моему коньяку, — вспомнил Софьин. — Я взял его с собой на переговоры. Когда все бумаги уже подписали, хотел достать эту бутылку и предложить по рюмочке за сделку... Но посмотрел на компанию и передумал. Вокруг негры с переломанными носами. С ними только «Гавану клаб» за милую душу. Поговорили только, пожали руки, похлопали друг друга по спинам и разошлись.

— Много заплатили?

— Даром, — довольно улыбнулся Софьин. — Один миллион американских рублей. Через год Дону Кингу продам миллиончиков за сто. Парня зовут Гильермо Антонио Марти. Это его полное имя. А так, с того самого времени, как Гильермо ребенком впервые вышел на ринг, его зовут Олесьело, что по-испански означает «Привет, небеса!». Это имя мне нравится — оно ему подходит, его и оставим. Я думаю, Дон Кинг только рад будет иметь бойца с таким прозвищем.

— А кто такой Дон Кинг?

— О-о! Это самый уважаемый человек в боксерском мире. Промоутер, который делает чемпионов, продает их и покупает. Устраивает самые важные поединки. С сумасшедшими гонорарами для боксеров. Его собственное состояние никому неизвестно — несколько миллиардов, а то и десятков миллиардов. А вообще он бывший бандит, рекетир, убийца. За два доказанных убийства он отсидел. Очень уважаемый человек.

Гибель Эскадры закончил свою речь, и теперь все смотрели на Софьина и Веру Бережную. Последние его слова, судя по лицам актеров, слышали все.

— Ну что? — радостно воскликнул Борис Борисович. — У меня налито, у Верочки тоже. Давайте еще раз за дураков!

— Вообще-то я предложил тост за нашего спонсора, — напомнил Скаудер.

— За меня в другой раз, — покачал головой Борис Борисович. — Сначала за тебя, дорогой ты наш и безгрешный Гилберт Янович!

Скаудер побледнел и поставил свой бокал на стол. Все молчали, и вдруг прозвучал голос Стасика:

— Мы все пьем и пьем. Радуемся чему-то. А ведь никто даже не предложил помянуть Элеонору Робертовну! Какая бы она ни была, но плохого театру она ничего не сделала...

— Давайте по порядку, — сказала Алиса Иртеньева.

— Тогда следующая очередь Гилберта Яновича, — произнес Козленков.

Очень тихо сказал, но все услышали. И замолчали испуганные. Потому что уже было произнесено имя Герберовой.

Алексей Дмитриевич и сам понял, что его слова могли быть истолкованы как намек на следующую смерть, и попытался выкрутиться.

— Совсем вы мне мозги запудрили, господа! Конечно же, по порядку произнесения тостов. Значит, выпьем сейчас за уважаемого Бориса Борисовича Софьина — нашего благодетеля.

И сам первым осушил свой бокал.

За ним все остальные без аплодисментов и криков «Ура!».

— Действительно, дураки! — поразился Скаудер. — Чокнуться даже забыли!

И пригубил свой бокал.

— Я вообще пить не буду ни за чье здоровье, пока Элеонору Робертовну не помянем! — провозгласил Холмский и откинулся на спинку своего стула.

— А кого задержали за ее убийство, не помнишь? — крикнул Гибель Эскадры. — Кого посадили за это в кутузку, не подскажешь нам?

— Кого бы ни посадили: меня или тебя, — истерично ответил Стасик, — помянуть ее надо! Не нам ее судить теперь, а Богу.

— Не надо ссориться! — вмешалась Алиса. — Стасик! Гилберт Янович, не обижайтесь на него.

— Да я на дураков не обижаюсь, — ответил режиссер. — Что поделаешь, что их здесь целый корабль! Могу и помянуть.

— Поминают водкой, — напомнил Козленков. — Не шампанским же? Вы еще танцы устройте.

Танцы были, но позже. Сначала Киреев вспомнил, что водка есть у него в каюте, и принес литровую бутылку «Абсолюта». Помянули Герберову, и некоторые от чистого сердца произнесли неискренние слова о ее мудром руководстве, после чего и другим захотелось запить эту ложь водкой.

Очень скоро вечер все больше и больше стал напоминать праздничный. Зазвучала музыка.

Софьин наклонился к уху Веры и шепнул:

— Позвольте пригласить вас на танец?

— Никто же не танцует, — осторожно отказала Вера.

Тогда Борис Борисович поднялся, подошел к Иртеньеву и что-то начал шептать ему на ухо. Потом наклонился к Кирееву и что-то сказал ему, почти не задержавшись.

Почти сразу Сергей пригласил свою жену, а Киреев — Таню Хорошавину. Борис Борисович вернулся к своему месту и протянул руку Вере:

— А так вас устраивает?

Пришлось выходить и танцевать. И сразу Софьин начал приставать с вопросами:

— А почему вы сумочку не оставили? Танцуете с сумочкой, а не со мной?

— С вами, Борис Борисович, не надо меня ревновать.

— А все-таки, почему на столе не оставили?

— Привычка со студенческого времени. Однажды подруга потащила меня с собой на танцы в студенческое общежитие. Меня пригласили, я оставила ей сумочку, а когда вернулась, ни подруги, ни сумочки. А там было все мое богатство: студенческий билет, проездной, кошелек с мелочью на обратную дорогу и дешевенький мобильник. Да и сумочка была кожаная, а мы с мамой тогда бедно жили.

— Как же домой добрались?

— Как-то добралась.

— Но все-таки мы не в студенческой общаге сейчас. Что в вашей сумочке ценного?

— Ключ от каюты Герберовой. Не могу оставить его без присмотра.

— А я уж было решил, будто вы ту самую улику с собой таскаете.

— Она в каюте Элеоноры Робертовны. Я же оттуда ее не выносила. Салфетку бросили в унитаз, но забыли нажать на слив, а она, простите за откровенность, даже воды не коснулась. Разве что краешком. Вот я ее и положила на подоконнике сушиться. Да она уже просохла, наверное. Отпечатки пальцев, остатки смазки ножа — все в целости.

— Ну, у вас и работа, я бы побрезговал, — усмехнулся Софьин.

— Если бы брезговали, не заработали бы своих миллионов, — парировала Вера. — Борис Борисович, теперь моя очередь задавать вопросы. Вы сказали, что Гибель Эскадры выскочил из каюты Элеоноры Робертовны и с перекошенным лицом понесся к себе... Как вы могли видеть его лицо, если ваши каюты по разные стороны от герберовской?

— Как-то не подумал. Может, это было не лицо, а другая часть тела... Шучу, конечно. Я видел, с каким лицом он выскочил, а с каким лицом бежал — это уж мои догадки, простите.

— А еще...

— Ой, — удивился Борис Борисович. — Музыка закончилась. Пойдемте посидим вместе с вашей сумочкой.

Они вернулись к столу, на котором волшебным образом возникла бутылка виски «Баллантайн». Борис Борисович сделал вид, будто не заметил ее, а когда Вера полюбопытствовала — не он ли распорядился доставить сюда этот напиток, сделал удивленные глаза и подозвал Иртеньева.

— Сергей, забери это.

Иртеньев подошел, и Софьин в этот момент вздохнул:

— Зря вы, Верочка, подозреваете в убийстве Волкова. Он — очень достойный человек.

Молодой артист, судя по всему, расслышал его фразу и замер, но олигарх махнул рукой, чтобы он отошел. А потом напомнил:

— Я же сказал вам, что практически с самого начала знал, кто убил Элеонору.

— Я разве спорю? — невинно улыбнулась Вера.

Потом произнесли тост за самого известного Ивана-царевича современности, и Козленков изобразил своего персонажа:

— Пустой ларец оказался! Где же смерть злодея? Признавайся, Кощей Бессмертный, игла яйцо не колет?

Все смеялись и аплодировали. Выпили по новой. Вера пригубила шампанское.

— Какая-то вы не компанейская сегодня, — расстроился Софьин.

— Так к утру сюда прибудет оперативно-следственная группа. Не хочу, чтобы даже запах алкоголя они унюхали.

— Так это вы для них улику оберегаете, которая в каюте Герберовой?

— Для них. Для кого же еще? Прибудут эксперты, откатают у всех пальчики...

— Выходит, нет никакой возможности Скаудера отмазать?

— Я думаю, не получится. Но вы же сами говорили, что у вас есть пройдоха-адвокат. И даже предлагали его в качестве защитника для Холмского. Так что мешает ему защищать Гилберта Яновича? К тому же Скаудер — фигура иного калибра. Наверняка судья слышал о нем, может, даже на спектаклях в вашем театре бывал. Вдруг еще и поклонником таланта Гилберта Яновича окажется. Возьмет и признает это необходимой обороной.

— Но ведь какой звон пойдет! — мрачнея, произнес Софьин.

— Не звон, а реклама. Как говорится, любой пиар хорош, кроме некролога.

Общий разговор в зале разбился на фрагменты, кто-то выходил и возвращался, кто-то курил в сторонке. Несколько раз Вера ловила на себе взгляд Иртеньева, но, что он хотел, было непонятно, потому что он тут же отводил глаза. Алиса сидела возле Козленкова, тот рассказывал ей что-то веселое: очевидно, анекдот. Алиса смеялась.

— Что-то сердце не на месте, — сказала Вера и поднялась. — Все-таки салфетка — единственная улика. Надо самой там сидеть и стеречь.

— Насидитесь еще! — остановил ее Софьин. — Вечер закончится скоро. Но если хотите, идите, не держу, работа есть работа, но только давайте на посошок, как говорится.

Борис Борисович оглядел их часть стола, спиртного поблизости не было.

— Сергей! — позвал он Иртеньева. — Там шампанского не осталось?

— Сейчас принесу, Борис Борисович.

Иртеньев поднялся, но как будто в нерешительности. Вновь странно посмотрел на Веру.

— Ну что встал? Принеси быстренько! — поторопил его Софьин. — Вера Николаевна уходить собралась. Когда мы еще с ней увидимся?

Иртеньев ушел.

— Зря вы его погнали, — вздохнула Вера. — Все равно я пить не собиралась больше.

— И даже от моего коньяка откажетесь?

— В другой раз. Да и ваша бутылочка сохраннее будет. Вдруг вы ее с этим... как его? С Доном Кингом распить решите.

— Там придумаем что-нибудь. Но приобретение я сделал такое, что хоть сейчас готов эту бутылку из горла высосать! Миллион отдал, еще столько же вложу, а потом выручу за Олесьело сто миллионов или еще больше. Легкие деньги, если честно.

— Легких денег не бывает. Я все-таки пойду.

Вера поднялась, Софьин тоже вскочил:

— Я провожу.

— Не надо. Через ночной парк идти не придется, пустырей здесь нет.

Вера посмотрела на сидящих у стола.

— А где Скаудер?

Борис Борисович тоже покрутил головой.

— Бегает где-то. Встретите его — скажите, что нехорошо отбиваться от коллектива.

Вера вышла из зала, подошла к лифтам, нажала кнопку вызова. Кабина начала спускаться. Войдя внутрь, Бережная прислушалась, вокруг было тихо, только из ресторана доносилась музыка. Далекий голос Тины Тернер предупреждал:

See reflections on the water
More than darkness in the depths...

Вера невольно перевела:

Я вижу, что отраженья в воде
Чернее тьмы в глубине...

И нажала кнопку. Когда кабина остановилась, она сделала шаг вперед, и тут что-то рухнуло ей на затылок. И Вера полетела в темноту.

Глава 23

Вера очнулась от того, что ее кто-то позвал, голова раскалывалась. Ее снова кто-то окликнул, Вера прислушалась и поняла, что это стонет она сама. Она лежала на боку. Падая, вероятно, ударилась головой. Лоб был рассечен. Ныл затылок. Вера попыталась подняться, но сил не было. Она с трудом встала на четвереньки и подумала, как это смешно смотрится со стороны, но боль в затылке не позволила даже улыбнуться. Опираясь о стену ладонями, поднялась, но стоять не могла, стены качались так, словно внезапно налетел шторм. На полу лежала раскрытая сумочка. Вера присела, заглянула внутрь: ключа от каюты в сумочке не было.

На четвереньках Вера доползла до лифта. Приподнялась немного и дотянулась до кнопки. Дверь отворилась. Ухватившись за поручень, Вера поднялась, посмотрела на себя в зеркало. Лицо было бледным, из-под волос сочилась кровь, но не особенно сильно. Потрогала затылок: там начала набухать шишка. Прикосновение было болезненным.

Вера нажала на кнопку этажа, и лифт заскользил вниз. Через несколько секунд кабина остановилась, двери открылись. Но за это время Вера немного пришла в себя и успела поправить прическу.

Она вышла из лифта и почти сразу столкнулась со Скаудером, который несся в ресторан, спускаясь, очевидно, по внутреннему трапу.

— Пардон, — извинился Гибель Эскадры и, подняв голову, заметил кровь. — Что с вами, Верочка? — воскликнул он. — Упали?

— На меня напали, — ответила Вера.

— Напали? — прошептал Скаудер и вскрикнул: — Это маньяк! Я же говорил! Предупреждал! Вы же сами не верили...

Он хотел сорваться с места, но, видимо, вспомнил, что рядом женщина, которой нужна помощь.

— Обопритесь на меня, Верочка. — Гилберт Янович обхватил Веру за талию. — Пойдем скорее. Там наши ребята — они помогут.

Он втащил Веру в зал и крикнул:

— Эй, кто-нибудь, помогите мне! То есть помогите Вере Николаевне. На нее напали и ранили.

Разговоры смолкли, тут же все бросились к ним. Кто-то отключил музыку. Праздник на этом закончился.

Веру подхватили, усадили в кресло, подтащили второе кресло и положили на него ее ноги.

— Где ты ее нашел? — спросил Софьин Скаудера.

— Она прямо на руки мне из лифта вывалилась. Еле поймал и удержал. На нее, наверное, в лифте напали.

— Лед принесите, — попросила Вера. — На затылок приложить.

Тут же потащили ведерко с кубиками льда. Пакетик со льдом ей положили под голову. Козленков смачивал льняную салфетку водкой «Абсолют» и собирался промывать рану на лбу.

— Как это произошло и где? — спросил Федор Андреевич.

— Это маньяк напал, который на корабле прячется! — крикнул Гибель Эскадры. — Я ведь предупреждал, а никто не верил! В Стокгольме наверняка сумасшедший мигрант пробрался и охотится теперь на нас!

— Вы как? — спросил Киреев, склонившись к Вере.

— Отхожу, — ответила она.– То есть прихожу в себя.

Алексей Дмитриевич начал протирать ее лоб.

— Сейчас сразу придете в себя, — пообещал он. — Очень хорошая водка.

— Надо всем держаться вместе! — продолжал кричать Гилберт Янович. — Так безопасней. Тем более что маньяк может оказаться не один, а несколько. Может, их там целая банда? Я где-то видел пожарный щит с топором. Кто-нибудь, принесите топор — надо же чем-то обороняться!

Только сейчас Софьин заметил раскрытый клатч Веры.

— У вас ничего не пропало?

— Ключ от моей каюты, — ответила она.

— А...

— А второй ключ у меня в надежном месте, — через силу попыталась улыбнуться Вера и тихонько похлопала себя по груди.

— Вам надо отлежаться, — посоветовал Волков. — Наверняка сотрясение мозга. Тошнит?

— Пока нет.

— Ну, все равно вам надо вернуться в каюту, в свою постель, а там уж... — начал было Софьин.

Но Волков покачал головой:

— Пусть сначала она в себя придет, сейчас лед поменяем, а то этот уже тает. И надо бы пару таблеток анальгина достать.

— У меня в каюте есть, — вспомнила Алиса. — Я сейчас сбегаю.

— Здесь сиди, — остановил ее муж. — Я сам принесу.

— Надо бы еще снотворное, — вспомнил Борис Борисович. — Вера поспит до утра, проснется, и ей легче будет. У кого снотворное есть? Сергей!

Иртеньев остановился, посмотрел на жену.

— Нет у нас снотворного, — сказала Алиса.

Стулья расставили вокруг кресел, в которых лежала Вера Бережная, все сочувственно молчали. Ждали, когда вернется Иртеньев. Он прибежал, принес таблетки. Вера запила анальгин минералкой и вскоре действительно почувствовала себя значительно лучше.

— Снотворное было у Кудрявцевой, — вдруг

вспомнил Козленков. — Она без снотворного не засыпает.

— А ты откуда знаешь? — удивился Борис Адамович, и все засмеялись.

— Дураки вы, дураки, — покачал головой Скаудер. — Нам опасность всем грозит, а вы, как всегда, шутки шутите.

С ним спорить не стали и смех затих.

— Так как же все случилось? — интересовался Софьин. — Вы видели нападавшего?

— Нет. Никого не видела. Только вышла из лифта — и сразу удар сзади.

— Надо прочесать весь корабль! — настаивал Гилберт Янович. — То есть не мы это будем делать, а полиция, когда в порт придем. А мы все здесь сообща будем. И ни в коем случае не разбредаться, а то еще кого-нибудь потеряем.

— Типун тебе на язык! — не выдержал Федор Андреевич. — Что ты заладил?

— Не заладил, а даю четкую установку, а ты, если такой смелый, делай. Что хочешь делай, хоть в море прыгай! А я в такие игры...

— Хватит! — остановил их Софьин. — Сейчас надо отвести Веру Николаевну в ее каюту. Я буду ее сопровождать, а Гилберт Янович мне поможет. А вы все приберите здесь и не пейте больше. Сейчас десять вечера.

— Начало одиннадцатого, — подсказал ему Козленков.

— Тем более. Хотите — сидите здесь, хотите —

отправляйтесь по каютам отдыхать. Но только приберите в зале обязательно.

Борис Борисович склонился над Верой.

— Вам полегче?

— Значительно, — ответила она. — Я и сама могу дойти.

— Мы поможем, — бодро произнес Скаудер. — Мало ли что? Не стоит в одиночку ходить.

И сам испугался своей смелости.

Вере помогли подняться. Софьин обхватил ее за талию. Гибель Эскадры — под локоть. Волков проводил их до лифта.

— Вера, мы успеем увидеться завтра? — спросил он.

— Ну, разумеется, — ответил за нее олигарх. — Все вместе будем и таможню проходить, и паспортный контроль. Идите, Федор Андреевич, без вас там не справятся.

— Да, — подтвердил Скаудер. — За этими людьми глаз да глаз нужен. А то еще передерутся, что с дураков возьмешь?

Втроем зашли в кабину лифта, Волков на прощанье помахал Вере рукой.

Глава 24

— Ну вот и все, — произнес Софьин, когда они вышли из лифта. — Не пройдет и минуты, как мы уложим вас в постельку.

— Я сама могу лечь.

— Конечно, — пыхтел Гибель Эскадры, пытаясь повыше поднять ее локоть, думая, что помогает вести Веру. — Но мы обязаны вас доставить и проверить, что с вами все хорошо.

Вдруг Борис Борисович остановился, не доходя до нужной каюты. Огляделся и прислонил Веру к стене. Как раз возле каюты Герберовой.

— Устали? — спросила Вера. — Давайте я сама дойду, тут всего пара шагов осталась.

— Стойте здесь! — приказал олигарх и, еще раз оглянувшись, потребовал: — Вы должны отдать мне ключ от каюты Герберовой. И отдайте сразу, пока мы не применили силу!

— Нам бы очень этого не хотелось! — взвизгнул Скаудер. — А то решили обвинить черт знает кого...

— Заткнись! — оборвал его Софьин и посмотрел на Веру злыми глазами. — Мы в любом случае заберем ключ. Лучше отдайте по-хорошему. Вы же не хотите, чтобы вас обыскивали?

— А если я закричу?

— Все равно никто не услышит. Корабль-то пустой. Ресторанный зал далеко, мостик тоже. Лучше не спорьте сейчас. Вы что, думаете, я не знаю, кто вы? Я с самого начала проверил. У меня-то телефон в отличие от всех вас работает. Вас я проверил в первую очередь и очень удивился, что вы частный детектив.

— Я тоже удивился! — воскликнул Гибель Эскадры.

— Заткнись, я сказал! — повторил Софьин и прижал Веру к стене. — Вы отдаете мне ключ, я запираю вас в вашей каюте. Не пройдет и часа — меня заберет катер, и мы с вами распрощаемся навсегда.

— Какой катер? — не выдержал Скаудер.

— Господин Софьин, вероятно, позвонил кому-то в Эстонию и попросил прислать за ним транспорт, — объяснила Вера. — Он ведь еще и гражданин Эстонии.

— О-о, — удивился олигарх. — И это вам известно! Только не надо нам зубы заговаривать!

И он протянул руку, собираясь сам достать ключ, предполагая, что он скрыт где-то на груди Веры.

— Ладно, я отдам вам ключ, — сказала Вера.

Она высвободила левую руку от захвата Скаудера и достала из-под рукава платья ключ, который, посаженный на резиночку, плотно облегал ее запястье.

— Возьмите!

— Так бы сразу! — обрадовался Скаудер. — А то задумали обвинять уважаемого человека.

— Вас, что ли?

— Если бы! Я бы стерпел: мне и не такое предъявляли.

Софьин протянул ключ Скаудеру.

— Открывай дверь, Гилберт, и хватит болтать.

Гибель Эскадры вставил ключ в замочную скважину.

— Нет, я просто возмущаюсь! — не мог успокоиться он. — Обвинять народного артиста Волкова черт знает в чем...

Руки его дрожали, и он не мог отпереть замок.

— Кто только эти корабли строит?! — воскликнул он. — Во всем мире уже магнитные ключи, а здесь какой-то дурак придумал эту дурацкую экономию!

Наконец ключ повернулся в замке. Софьин втолкнул Веру в каюту и быстро вошел следом.

— Где там ваша улика? Вы уж извините, конечно, что я так с вами, — спокойно, словно он решил уже все свои проблемы, произнес олигарх. — Но и вы меня поймите.

— За что вы убили Элеонору, Борис Борисович? — спросила Вера. — Она шантажировала вас?

— Что вы несете? — возмутился Софьин. — Кто кого убил?

— Герберова, вероятно, обвинила вас в убийстве своего отца Роберта Ивановича? Сообщила, что собирала всю информацию о том взрыве. Сказала, что нашла исполнителей и те дали показания. И она решила вас шантажировать?

— Я не понял, — растерялся Скаудер и на всякий случай отступил на шаг, переводя взгляд с Веры на Софьина, а потом обратно. — Что происходит?

— Что вы несете? — зло прошептал Борис Борисович. — Никакого отца я не убивал!

— Сначала Элеонора рассказала своей сестре Изабелле Робертовне о том, как вы ее насиловали в детстве, и о своих подозрениях по поводу убийства отца. Жена потребовала объяснений и развода... Брачный контракт создавался под чутким руководством самого Роберта Ивановича Подлясского, а потому вы должны были остаться ни с чем, но, предвидя подобное, вы подготовились заранее. Взяли в банке тестя очень большой кредит, заранее зная, что отдавать не будете...

— Хватит! — закричал Софьин и выхватил из внутреннего кармана смокинга пистолет. — Хватит молоть всякую чушь! Где эта чертова салфетка с отпечатками моих пальцев? У Элеоноры давно съехала крыша: она тянула отовсюду, откуда могла, она высосала из театра все! А это мой театр! Я его сделал, я в него столько вложил! Только я должен был с него получать, а не эта сумасшедшая стерва!

Он замолчал и посмотрел на Скаудера.

— Ты меня, Гилберт, извини, но что вы тут не поделили, я не знаю. Это пусть следствие разбирается, за что ты убил Верочку и застрелился сам.

Гибель Эскадры побледнел.

— Это вы так пошутили?

— Да какая уж тут шутка!

Борис Борисович направил пистолет на Скаудера.

— Вера, вы же не хотите умирать в мучениях? Последний раз спрашиваю..

— Что здесь происходит? — прозвучал вдруг голос капитана Шкалика.

Все обернулись. В дверях каюты стоял капитан, в руке он держал пистолет. За спиной Шкалика стояли двое матросов.

— Григорий Михайлович, прошу вас выйти! — приказал Софьин.

— На судне командую я, — ответил капитан.

— Но я судовладелец.

— Здесь вы такой же пассажир, как и все.

— А я вас увольняю! — воскликнул Софьин.

— Пока судно не принял другой капитан, никто не имеет право отстранить меня от управления судном.

Шкалик перевел взгляд на Веру.

— Вера Николаевна, с вами все нормально? Я сделал все, о чем мы договаривались. Ждал в каюте напротив.

— Все хорошо, — ответила она и шагнула к выходу.

— Стоять на месте! — приказал Софьин, направляя на нее пистолет. — Стоять до тех пор, пока за мной не придет катер! Всем стоять! Я сойду с борта, и тогда делайте все, что хотите.

— Тогда можно я пойду, — попросил Скаудер. — У меня свои дела, а у вас свои. Я не буду вмешиваться.

— Всем не двигаться! — закричал олигарх. —

Мой катер будет здесь с минуты на минуту. Это полицейский катер, и, если вы меня не выпустите, они произведут досмотр и найдут наркотики. У каждого!

— Какой досмотр? — удивился Шкалик. — В нейтральных водах?

— Покиньте каюту и отойдите на десять шагов! — крикнул Софьин. — Я спущусь на первую пассажирскую палубу, сяду на свой катер и уйду. И чтобы никто не мешал. А ее... — Софьин показал пистолетом на Веру. — Я забираю с собой.

— Хорошо, — Шкалик повернулся к матросам. — Сделаем, как он приказывает.

— Борис Борисович, вам придется меня нести: у меня голова все еще кружится, — напомнила Вера. — Идти я не могу, да и платье длинное.

Олигарх задумался и посмотрел на Скаудера.

— Тогда ты со мной пойдешь.

— Я никуда не собираюсь ехать! — воскликнул режиссер.

— Он вами прикрыться хочет, чтобы в него не стреляли, — объяснила Вера.

— Но я не хочу! — замахал руками Гибель Эскадры.

Софьин схватил Гилберта Яновича за пиджак, привлек к себе, обхватив рукой за шею и приставив к его голове пистолет, начал подталкивать в спину. Оказавшись возле дверей, он бросил Вере:

— Оставайтесь здесь и не вздумайте мне мешать! Любое ваше неосторожное движение — и я снесу башку этому придурку!

Скаудер не сопротивлялся, смотрел в потолок и семенил ногами, чтобы не споткнуться. Оказавшись первым в коридоре, он закричал:

— Не стреляйте, капитан! Вы можете в меня попасть!

Софьин толкал его в спину, продвигаясь к лифту. Продвигаться приходилось спиной вперед, потому что Шкалик с матросами отошли в сторону каюты судовладельца. Софьин приближался к площадке перед лифтами, они медленно следовали за ним. Олигарх внимательно наблюдал за матросами и капитаном, не забывая оглядываться. Так, продолжая прикрываться Скаудером, он подошел к площадке. Ему оставалось только повернуть туда.

Прозвучал гудок.

— Это за мной! — радостно крикнул Софьин. — Сейчас я уйду, а вы вообще...

Он не успел договорить: кто-то выскочил из-за поворота, даже не выскочил, а прыгнул, сбивая с ног и Софьина, и Гилберта Яновича. Это был Сергей Иртеньев. Грохнул выстрел. Сергей, который пытался выхватить пистолет и схватить олигарха за запястье, упал на спину. Софьин быстро поднялся и вскинул руку, целясь в капитана. Но тот успел выстрелить первым.

Глава 25

Может, Софьин и вызывал катер из Эстонии, но к борту «Карибиен кап» подошел совсем другой катер, на его борту был Иван Васильевич Евдокимов со следственно-оперативной группой. Когда он поднялся, то увидел, как Вера и вся труппа суетятся над раненным в плечо Сергеем Иртеньевым.

Борис Борисович Софьин лежал в стороне. Он был мертв.

Евдокимов подошел к трупу.

— Свидетели убийства есть? — поинтересовался он у Веры.

— Очень много свидетелей — вон они все здесь стоят. Это была самооборона. Вернее, капитан защищал пассажира, которого Софьин собирался убить. Первым выстрелом он ранил Сергея, а второй ему не дали сделать, — отчиталась Вера.

— Но ты же понимаешь, кто такой Софьин? — вздохнул Евдокимов. — Тут такое сейчас начнется! Свидетели — хорошо, но когда нет видеосвидетельства...

— Почему нет? Есть. По моей просьбе капитан приказал установить камеру в каюте и в коридоре, так что наше общение с Софьиным и то, что было потом, можешь внимательно посмотреть.

— То есть ты предполагала, что так все и произойдет?

— Так или иначе, но предполагала. Я подкинула Софьину информацию о том, что имеется важная улика против убийцы, который, прежде чем взять в руки нож, вложил в свою ладонь салфетку. Салфетку убийца потом, торопясь покинуть место преступления, выбросил в унитаз. Никаких отпечатков пальцев на салфетке, разумеется, не было, а следов ножа — тем более. Но Борис Борисович клюнул и испугался. А потом...

Вера не успела договорить, к прибывшему из Петербурга полковнику подскочил Скаудер.

— Я готов дать показания! Я тут вообще ни при чем... Я, можно сказать, сам жертва. Чуть не погиб. Чудом пуля в меня не попала. Бог спас... Вера Николаевна может подтвердить.

— Запишите все, что произошло, и передайте мне. Возникнут вопросы, мы поговорим, — произнес Евдокимов. — А вопросы возникнут — я уверен.

— Я так напишу, что все будет понятно, даже...

Он замолчал, кашлянул и спросил:

— Я могу идти?

— Вы обещали еще одно письмо написать. О ваших отношениях с Герберовой, — напомнила Вера.

— Конечно, — почти обрадовался Гибель Эскадры. — Там же не только одна Герберова, еще Софьин на меня давил, требовал с театра какую-то личную прибыль для себя. Он требовал продавать часть билетов не через кассу. Вы представляете, как мне тяжко приходилось? Какой крест приходилось тащить!

— Идите, — поторопил его Евдокимов.

Полковник Евдокимов приказал всем артистам собраться в ресторанном зале. Иртеньев сказал, что ранение у него касательное и не тяжелое: он может и ходить, и сидеть, и давать показания, потому что он тоже один из действующих лиц сыгранного сегодня спектакля.

Последние слова возмутили Евдокимова: он сообщил не только Сергею, но и всем остальным, что убийство, а уж тем более расследование этого убийства — не спектакль и потешаться над этим никому не позволено. Иван Васильевич хотел напомнить всем о гражданской позиции и необходимости оказывать всякое содействие официальным лицам, проводящим расследование, но его успокоил Волков, объяснив, что сказанное молодым актером — профессиональный сленг. К тому же напомнил, что парень получил ранение, защищая всех остальных и в первую очередь Верочку. Евдокимов выслушал его и спорить не стал. Он был большим поклонником Волкова и даже решил, что, когда все закончится, он попросит у народного артиста автограф для жены.

Потом он вернулся к Вере и вежливо поинтересовался, как ее угораздило оказаться на этом пароходе и, вообще, каким ветром ее занесло в Швецию.

— Развеяться захотелось, — ответила Вера с улыбкой.

Евдокимов только сокрушенно покачал головой. Он ей, конечно, не поверил. Но выспрашивать больше ничего не стал. Зато посетовал, что так спешил сюда, а работы никакой — два трупа, и все ясно сразу.

— А вам так работа нужна? — усмехнулась Вера.

— Лучше бы ее не было вовсе! — признался Евдокимов. — Все были бы живы и здоровы, и никто никого бы не убивал.

Он посмотрел на тело олигарха.

— И чего ему не хватало? У него ведь все было...

Глава 26

Артисты сидели возле того самого вытянутого стола — точнее, у столов, выставленных в одну линию. Сидели молча и ждали. Когда вошла Вера, а следом полковник Евдокимов, все поднялись как школьники и вскинули руки. Но Вера сделала жест — не надо аплодисментов, и потому все опустились на свои места спокойно.

Они подошли к тем же самым местам, где еще совсем недавно Вера восседала с Борисом Борисовичем Софьиным. Вера засомневалась, стоит ли занимать эти кресла, но Евдокимов уже опустился на бывшее место олигарха. Артисты переглянулись.

— Я — полковник юстиции Евдокимов, — представился Иван Васильевич. — Хочу с вами поговорить, чтобы установить общую, так сказать, картину, выслушать ваши претензии по поводу отсутствия безопасности на судне, хотя к пароходству не имею никакого отношения.

— Это судно принадлежит... Вернее, принадлежало Софьину, — напомнила Вера.

— Вот даже как! — удивился полковник. — А мне никакой информации на эту тему не подготовили. Да и вообще не знаю, даже с чего начать...

— Давай начну я, — предложила Вера.

— Конечно, Верочка, — улыбнулся Евдокимов. — Я и не сомневался, что у вас есть что сказать.

— Началась эта история давно, — начала рассказ Вера. — Более тридцати лет назад, когда молодой младший научный сотрудник НИИ решил заняться борьбой за экологию. Он стал организовывать митинги и говорить о необходимости беречь экологию. Заметьте, он говорил не об окружающей среде, а о науке, о взаимодействии живых организмов с окружающей средой, потому что экология — это именно наука, а не среда. Но для людей, приходящих на митинги, это было неважно. Ему верили, как верили тогда всем, кто что-нибудь критиковал. Вскоре молодой человек пошел во власть и возглавил совет народных депутатов подмосковного городка, познакомился с симпатичной девушкой, у которой папа возглавлял один из первых коммерческих банков, и так он подружился с этой девушкой, что скоро она объявила дома, что ждет ребенка...

— Бережная, ты вообще о чем? — удивился Евдокимов.

— О том, с чего все началось. Я рассказываю о Софьине, который, являясь фактически мэром города, открыл множество фирм, создал им преференции, раздавал подряды на строительство и госзаказы на поставку всего. Он разбогател и жалел лишь об одном, что приходится делиться с тестем, который и без того был богаче его... Он долго думал о своей жизни и, конечно, придумал и как избавиться от родственника, и как стать богаче самому. Его фирмы набрали кредитов на возведение в городе крупного торгово-развлекательного комплекса. Кредиты были разворованы, а тесть взорван. Банк разорился. Жена Бориса Борисовича получила наследство, которым поделилась с младшей сестрой почти поровну. Сестре было чуть меньше пятнадцати лет. Красивая юная девочка. И Борис Борисович не устоял... Элеонора Робертовна хранила тайну долго, все это время она шантажировала мужа сестры, пока не решила, что хватит ждать милости от кого-то. Для начала она рассказала сестре со всеми подробностями о своих интимных отношениях с ее мужем и о том, кто убил их отца. Изабелла Робертовна поверила, вероятно, не сразу, но вскоре последовал развод, по которому Софьин ничего не получал согласно брачному договору, составленному еще юристами Роберта Ивановича. Однако Софьин уже подготовился к подобному исходу: распылил часть своего состояния и добился того, что обе стороны при разводе подписали договор об отказе от взаимных претензий. Изабелла Робертовна по собственной инициативе и дабы забыть полностью о негодяе-муже от себя лично подписала даже отказ от права на наследство, в случае если Борис Борисович уйдет из жизни. В дополнение она даже сообщила, что дочь Софьина — не его. Но Борис Борисович давно уже знал это, заказав генетическую экспертизу.

— Зачем ты все это рассказываешь? — не понял Евдокимов.

— Не перебивайте, пожалуйста, прошу вас! — закричал Скаудер. — Это очень важно, потому что от этого зависит будущее нашего театра. Вдруг новый владелец продаст здание и нас вместе с ним?

— Новым владельцем станет мальчик, которого Софьин уже признал своим сыном и даже составил завещание в его пользу, с тем чтобы ни бывшая жена, ни бывшая дочь, ни бывшая свояченица ничего не смогли оттяпать. Мальчик пока еще и в школу не ходит, до его совершеннолетия и театром, и деньгами на счетах, и зарубежной недвижимостью будет управлять его мама. Но, я думаю, вы с ней как-нибудь договоритесь.

Артисты встрепенулись, разом заговорили, засуетились.

— А кто она?

— А вдруг она вообще театр не любит? Что нам потом делать?

— Мне кажется, она любит театр, — улыбнулась Вера. — Особенно ваш театр, и вас всех она любит.

Все замолчали.

— И кто это? — недоуменно спросил Федор Андреевич.

— Это я, — тихо ответила Таня Хорошавина и заплакала.

Никто не бросился ее успокаивать, потому что все сидели как громом пораженные.

— А за что же он эту Герберову убил? — поинтересовался Евдокимов.

— Он такую личную неприязнь испытывал к убитой... — начала Вера, но сменила немного тон и продолжила обстоятельный рассказ: — У Бориса Борисовича в последнее время появились некоторые трудности в бизнесе, доходы резко упали, а он еще и это судно купил. Деньги потребовались, и он решил поскрести по сусекам. Даже с театра потребовал долю в прибыли. А какая может быть доля, если Элеонора Робертовна раздевала театр?

— Это правда, — подтвердил Скаудер. — Он потребовал у меня отчеты, а когда узнал, сколько Герберова с нас снимает, пришел в бешенство.

— Он и в поездку ее пригласил, чтобы выяснить отношения на своей территории, — объяснила Вера. — Но разговора не получилось. Софьин просто разорвал отчет, полученный от Гилберта Яновича, и швырнул Элеоноре в лицо. Она потом склеила его скотчем.

— Вот почему в Осло она попросила меня купить скотч, — понял Станислав Холмский. — Я скотч купил тогда, а Алексей Дмитриевич тот самый ножик.

— Так что послужило поводом для убийства? — вернул разговор в нужное русло Евдокимов.

— Мне кажется, он понимал, что проект, ради которого закупалось судно, под угрозой срыва. Мне удалось прочитать тексты его переговоров с человеком, у которого он попросил деньги, а тот, пообещав профинансировать, потребовал контрольного пакета, что обычно этот человек и делает. Нервы у Софьина сдали. Вы все помните, сколько он выпил накануне. Он пошел к Герберовой, а та посмеялась над ним и, очевидно, рассказала, кто сообщил его жене подробности об убийстве отца. Сказала, что Изабелла обратилась в следственный комитет с просьбой о новом расследовании в связи со вновь открывшимися обстоятельствами. На столе лежал нож, и Борис Борисович, находясь в гневе, ударил, очевидно, не соображая, чем это может обернуться. Посчитал, как мне кажется, что за сутки преступление не раскроют, а значит, не раскроют никогда.

— А кто на вас напал тогда в лифте? — спросил Борис Адамович Ручьев.

— Один человек по просьбе Бориса Борисовича. Вряд ли Софьин просил меня убивать. Скорее всего, он поручил тому человеку дать мне по башке, потому что я собираюсь якобы обвинить в этом убийстве, а соответственно, надолго упрятать за решетку абсолютно невиновного Федора Андреевича Волкова, против которого сфальсифицировала опять же якобы неопровержимую улику.

— Меня упрятать? — удивился Волков.

— Все так и было, — произнес Сергей Иртеньев, поднимаясь. — Все так и было. Это я напал. Простите меня, Вера Николаевна. Борис Борисович сказал, что Волкова посадят, что он будет вынужден закрыть театр. Но если Веру Николаевну на время вывести из строя, то она не успеет ничего сделать. А еще он пообещал нам с Алисой купить квартиру, если я соглашусь. Простите меня.

— Как ты мог? — воскликнула Алиса.

— У меня претензий нет, — сказала Вера. — Сергей очень аккуратно ударил, я жива и здорова, и даже не заикаюсь. Он попал под влияние

Софьина и думал, что делает это на благо родного театра.

Все некоторое время молчали, осуждающе глядя на Сергея, наконец, Волков спросил, обращаясь ко всей труппе:

— Ну что, простим его, ребята? Раз у Веры нет претензий и она сама его простила...

Все решили простить, только Алиса заявила, что разберется дома сама.

— Ну вот и все, — подвела итог Вера Бережная.

— Как все? — не понял Евдокимов. — А улика-то где?

— Какая улика? — переспросила Вера. — Иван Васильевич, вы что, не поняли, что не было никакой улики? Я просто подумала, что, раз нож в теле оставлен, а не выброшен в окно, значит, на нем, скорее всего, нет никаких отпечатков. Но убийца наверняка не в перчатках приходил, а следовательно, воспользовался тем, что было под рукой. Скомканную салфетку увидела в унитазе и подумала, что это именно та самая салфетка. Просто угадала. А если бы не угадала, то мучились бы сейчас с тобою, пытаясь найти убийцу. Тем более что один молодой человек уже поспешил с признанием.

— Дураком был, — признался Стасик Холмский и засмеялся.

Эпилог

Таможенный и паспортный контроль прошли быстро. А что делать дальше, никто не знал. Утро едва проклюнулось. Город был накрыт мглой, и только на востоке едва проглядывала узкая розовая полоска. В Морском терминале артистов уже ждал автобус, на котором они должны были отправиться в столицу.

Напоследок все еще раз сфотографировались с Евдокимовым, хотя делали это уже не раз и на борту «Карибиен кап». Иван Васильевич уехал счастливый.

Потом все прощались с Верой, обнимали и звали в гости. Гибель Эскадры тоже долго мялся рядом. Потом подошел, поцеловал руку и отвел в сторону подальше ото всех.

— Если мне потребуется ваша помощь, не откажите? — с печалью в голосе спросил он.

— Помогу, чем смогу, — пообещала Вера. — Но, мне кажется, вас освободят от наказания. Вот только о грантах придется надолго забыть.

— Я понимаю. Теперь остается молиться, чтобы Танечка меня простила...

Хорошавина тоже подошла к Вере, обняла и проговорила:

— Я хочу, чтобы ты знала, что я не была его любовницей, просто когда мама мне прислала деньги на квартиру, хватило только на такую маленькую, старенькую, что и въезжать туда не хотелось. Борис Борисович обещал приехать, посмотреть и помочь чем-нибудь. Я согласилась. А он прибыл с огромными пакетами еды, с бутылками. Сапожки мне подарил, потому что зима началась, а у меня осенние уже разваливались. Заставлял меня выпить с ним... А потом...

— Я поняла, — остановила ее Вера.

— Потом он начал меня преследовать, говорил, что влюблен. А когда узнал о моей беременности, сам предложил сделать генетический анализ. Мне показалось даже, что он счастлив. Но он ото всех скрывал и мне приказывал тоже никому не говорить, от кого у меня ребенок. Да я и сама не хотела, чтобы про меня думали, будто я содержанка...

— Никто так не думает, — успокоила ее Вера. — Все же знают, какая ты на самом деле. Все любят тебя.

Автобус тронулся, и все махали Вере из своих окон. А она махала в ответ.

Автобус скрылся, и тогда Вера увидела автомобиль, возле которого стоял Петя Игнатьев. Она помахала старому приятелю и коллеге и поспешила к машине.

— Вера Николаевна! — вдруг окликнул ее кто-то.

Наперерез, не торопясь, шел мужчина лет сорока и, как принято говорить, неприметной наружности..

— Уделите мне пяток минут?

Вера кивнула и сделала знак Пете, который уже рванул ее спасать, что ничего страшного не происходит.

— Давайте в моей машине поговорим, — предложил незнакомец.

Она устроилась на заднем сиденье новенького черного «Ауди», а мужчина сел за руль.

— Вы уж нас простите, что съездили впустую. Но, к сожаленью, не все зависит от нас.

— С Володей все в порядке?

Мужчина кивнул.

— Жизни и здоровью его ничего не угрожает. Просто наши планы внезапно изменились. Мы хотели вывезти его оттуда. Подготовили документы. Вот даже встречу с вами пытались организовать. Но... — Мужчина замолчал и продолжил после паузы: — Вы же знаете, какую работу выполняет ваш муж. Так уж получилось, что, после того как ракета накрыла совещание главарей, американцы считали, что группировка полностью обезглавлена, что погибли все, в том числе и Абу Хафиз — именно под этим именем работал Володя. Слышали, вероятно, про такого человека, если интересовались событиями?

— Слышала, — прошептала Вера.

— Американцам поступила информация, что один из самых разыскиваемых террористов выжил и собирается уйти в Европу. Все тропы они перекрыли, усилили контроль на пропускных пунктах. Но Володя ушел морем. Самое безопасное направление оказалось — Танзания. А оттуда уже посуху через Тунис, Ливию. В Стокгольме его опознали случайно.

— Где он сейчас?

— Предполагаем, что в Ираке, а может быть, в Афганистане. Сейчас на Востоке создается новая армия, и, скорее всего, Володю сделают одним из ее руководителей. Ведь он уже командовал разведкой и в немалой степени способствовал нашей победе, о чем никто даже не догадывается. Так что по поручению командования хочу высказать благодарность и ему, и вам.

— Мне-то за что? — смутилась Вера.

— За понимание и терпение.

— Когда я увижу мужа?

— Не могу сказать, потому что не знаю, — вздохнул мужчина. — Видно будет по тому, как у него дела пойдут. Так что потерпите еще немного.

Мужчина достал из кармана сложенный пополам конверт и протянул Вере.

— Он вам письмецо передал. Простите, что немного в скомканном виде, но ведь не по почте прислали.

Вера открыла конверт, достала сложенный пополам лист, вырванный из небольшого блокнота.

Любимая! Прости, если не увидимся в ближайшие дни. Но обещаю, что постараюсь быстрее обернуться. Вез тебе подарок, но оставил на хранение в одном месте, потом заберем вместе. Целую.

Она поцеловала листок, сложила его и вернула в конверт. Конверт спрятала в сумочку. А потом посмотрела в окошко, на сверкающие фонари морского терминала. Отвернулась, чтобы незнакомец не видел ее слез.

— Имя Хафиз что-то обозначает? — спросила она, чтобы только не молчать.

— Обозначает, конечно, как всякое другое. По-арабски — это «защитник». А еще так называют тех, кто в совершенстве изучил Коран.

Вера кивнула, стараясь не плакать. Мужчина деликатно отвернулся. Помолчал, а потом, вероятно, для того чтобы тишина не была такой тягостной, произнес:

— Не знаю, что за подарок он вам приготовил...

— Я уже получила. Так что не волнуйтесь, — сказала Вера и прикоснулась к кулону на шее, она не знала, как это объяснить, но почему-то была уверена, что этот кулон — подарок от Володи.

За неделю до событий

Владимир медленно шел через центр Стокгольма по узкой улочке Гамла Стана. Иногда он останавливался у витрин магазинов и рассматривал товары, но стоял недолго, словно искал что-то конкретное и, не увидев необходимый ему товар, шел дальше. В витринах он видел свое отражение, от которого давно отвык — без длинных волос и бороды, а главное, в европейской одежде. Видел, как те, что шли за ним, останавливались и тоже рассматривали витрины. Судя по всему, они поняли, что он заметил слежку, но не спешили, зная, что ему некуда деться — впереди набережная, но выход на нее наверняка перекрыт.

На узкой двери была наклеена реклама какого-то пива, Владимир зашел внутрь заведения. Три столика и стойка с пивным автоматом. Бармен сразу определил в нем неместного.

— Что хочет господин? — спросил он.

— Что-то можете предложить иное, кроме пива?

— Только пиво. «Король Людвиг» — не пробовали, вероятно? Не хуже баварского.

Похоже, бармен и сам в это не верил.

— Один бокал, — заказал Владимир.

Снаружи к двери подошел один из преследователей, попытался рассмотреть что-то сквозь тонированное стекло. Ничего не разглядев, отошел.

— Хороший загар у вас, — произнес бармен, даже не глядя на Владимира. — Где отдыхали?

— В Африке.

— Много слонов убили?

— Одного вам оставил.

Бармен подвинул ему бокал пива. Владимир покачал головой, отказываясь, положил на стойку монету в пять крон и вышел из бара.

Теперь его вели двое, один шел впереди, а второй следом шагах в двадцати. Уйти труда бы не составило, но есть и другие, перекрывающие пути возможного отхода. Сколько их — неизвестно, но можно предположить, что достаточно: наверняка опасного террориста захватывать прибыла большая группа специалистов.

В фильтрационном пункте Владимир провел около двух недель. От длинных волос он избавился еще до прибытия в Европу и бороду подстриг коротко, а потому не боялся, что его опознают. Пособие почти не тратил. Живущие в соседней комнате марокканцы каждый день варили кускус и приглашали его разделить с ними трапезу. Пять раз в день он совершал намаз, а на утренний фаджр к нему приходили соседи. Вернее, за полчаса до восхода он сам стучал им в дверь, и этот стук для них был нечто вроде азана — призыва на молитву. В общежитии его считали проповедником-дервишем и обращались уважительно — Ата.

Из общежития Владимир не выходил, ждал связного. Однажды к нему подошел ливанец, который часто терся рядом, и сказал тихо:

— Я знаю, кто ты. Я видел тебя в Мосуле вместе с Аль-Бакром. Если нужна помощь, я всегда готов. Нас несколько таких, но нет вождя.

Владимир молчал. А когда ливанец спросил:

— Ты же вождь, почему молчишь?

И он ответил, глядя сквозь прилипчивого соседа.

— Когда Господь испытал Ибрахима своими словами, то он исполнил их полностью. Сказал Бог: «Поистине, Я назначу тебя предводителем людей! Ибрахим спросил: «А из моего потомства?» Ответил Бог: «Не представится Мое обязательство мракобесам!»

— Ты не веришь мне? — настаивал ливанец.

— Ты сам знаешь, кто ты, и только Господь знает, что ждет тебя.

Связного не было. Резервной точки для связи Владимиру не назвали. Приказали ждать здесь. Но время тянулось. В последний раз он дал знать о себе с борта катера, когда из Ливии переправлялся в сторону Сицилии. Он позвонил с телефона, взятого из кармана мертвого старика, которого соседи по переполненной посудине собирались сбросить в море. Позвонил на турецкий номер и сообщил на аварском, что скоро будет в Европе, и тогда ему назвали точки в Италии, Германии и Швеции, где его будут ждать и помогут. Но в Италию попасть не удалось, зато через неделю он прорвался через Хорватию в Швецию...

Ливанец присутствовал рядом слишком навязчиво и, когда Владимир выходил из общаги, следил за ним. Потом перестал, что говорило о том, что следят теперь более опытные люди.

Однажды под вечер в дверь постучали, а потом вошел похожий на алжирца светлокожий араб.

— Истинный путь господний всегда прямой, — произнес он.

— Нечестивых не направляет воля Аллаха, — ответил Владимир.

Это означало, что за ним следят постоянно.

Ответил бы он строкой аята о том, что каждый получит ровно столько кары или милости, сколько стоят его поступки, значило бы «все в порядке».

— Я могу сказать вам, где есть правильные книги.

— Я знаю, — ответил Владимир. — Завтра я собираюсь туда после дневного намаза.

«Алжирец» попрощался и ушел. В окно Владимир видел, как он шел через двор, а ливанец, пробежав за ним метров пятнадцать, остановился и показал на спину уходящего пальцем. И тут же из палатки, где продавали шаурму, вышел человек в серой спортивной куртке и пошел следом.

«Алжирец» говорил о книгах, значит, встреча назначена в библиотеке при соборной мечети Стокгольма, которую построили на деньги шейха Зайда ибн Султана ан-Нахайана, вернее, перестроили здание старой электростанции.

Вечером Владимир пошел в душевую, оставил одежду перед кабинкой, а когда стал одеваться, обнаружил, что из карманов пропали все деньги. Он сказал об этом марокканцам, те дали сто евро и горсть монет по пять крон. Комнату его обыскивали тоже, но подарок, который Владимир приготовил для жены, не обнаружили.

От общежития до соборной мечети путь был неблизкий, но Владимир пошел пешком и поначалу не заметил слежки, как будто те, кто вел за ним наблюдение, знали, куда он направляется. Потом понял, что следят из автомобилей, то отпуская, то обгоняя, передавая друг другу. Сел в автобус, где ехали несколько молодых пареньков со школьными рюкзаками. Перед тем как выйти, один из мальчишек подошел и спросил:

— Чего тебе надо в нашей стране?

Владимир не ответил и посмотрел в окно.

Двери отворились, и, перед тем как убежать, паренек крикнул:

— Проваливай к себе домой, скотоложник!

Владимир вышел на улице Восточных Готов, по обеим сторонам улицы стояли храмы. С одной стороны — кирха Святой Екатерины, а напротив — соборная мечеть имени первого президента Объединенных Арабских Эмиратов. Рядом остановилась машина, из которой следили за ним. Но никто не вышел: идти в мечеть они не рискнули.

Сначала Владимир заглянул в спортивный зал и посмотрел, как тренируются мальчики. К нему подошел тренер, спросил, хочет ли он сюда привести своего сына.

— Хочу, — ответил Владимир. — Только сына пока нет.

— Аллах милостив.

В книжном магазине было почти пусто. Лишь две женщины в хиджабах стояли возле полок с детскими книгами. И в отделе исламской литературы были двое, один тут же отошел к дверям, а второй — немолодой, с седой бородой — перелистывал Коран.

Владимир подошел к нему.

— Истинный путь господний всегда прямой, — негромко произнес мужчина, не отвлекаясь от своего занятия.

— Нечестивых не направляет воля Аллаха.

Владимир взял книгу об исламской архитектуре. Начал листать, вложил внутрь сложенный вдвое блокнотный листок и вернул на полку.

— Вы давно прибыли? — спросил пожилой. — Как вам Стокгольм?

— Мне он неинтересен. Скучаю по семье. Хотел бы увидеть скорее.

— Господь пошлет вам скорую встречу, я надеюсь, — сказал пожилой. — Морские ворота большие.

Набережная, где находилась паромная пристань, называлась «Морские ворота».

Владимир не ответил, мужчина вернул Коран на полку и поднял глаза.

— Так вы уже осмотрели Стокгольм?

— Я был в старом городе.

Его собеседник взял с полки книгу об архитектуре, которую только что просматривал Владимир, и посмотрел на него еще раз.

— Очень хорошее издание Корана. В следующую пятницу после зухра[1] погуляйте в старом городе еще.

В книге лежал почти невесомый листок. Раз руководство пошло на такую встречу и на передачу инструкций, то, значит, не было убеждено, что здесь, в исламском книжном магазине при соборной мечети Стокгольма, нет контроля. Им виднее, конечно, но он рвался домой, рвался к Вере. Он сейчас сказал о семье. Ему посоветовали в следующую пятницу прийти к «Морским воротам». Прийти для чего? Его готовятся вывезти? Или хотят устроить встречу с женой? До следующей пятницы больше недели. Вряд ли его отправят домой. Но встреча с женой, конечно, большой подарок. И конечно, это будет встреча не как в фильме про Штирлица.

---

[1] Зухр — полуденный намаз.

И вот пятница, он в старом городе, и его ведут. Скорее всего, сейчас будут брать. Удивительно, что они не сделали этого раньше. Владимир уже прошел мимо какого-то магазинчика, но вернулся и посмотрел на витрину, где были выставлены золотые изделия. Вошел внутрь, увидел молоденькую индианку и поздоровался. Девушка шагнула навстречу из-за прилавка и улыбнулась приветливо.

— Как вас зовут, биби[1]?– спросил он.

— Тара.

— Биби Тара Каур, мне очень нужны деньги. Но у меня нет ничего, кроме этого.

Владимир достал из кармана пакетик с камнем, который вез с собой из Африки.

— Это танзанит, я везу его в подарок жене. И хотел бы оставить у вас в залог, а потом приду и заберу.

Девушка покачала головой, отказывая.

— Что означает ваше имя, Тара? — спросил Владимир.

— Звезда или та, что спасает.

— Так спасите меня. Мне нужна помощь, чтобы уйти от несправедливости и насилия.

Девушка подошла к узкой двери, которая вела внутрь магазина, открыла ее и что-то сказала негромко. Через несколько мгновений оттуда вы-

[1] Биби — обращение к девушке.

шел пожилой синкх в белой чалме, поздоровался с Владимиром и взял в руки камень.

— Где делали огранку? — спросил он.

— В Дар-эс-Саламе. У сикха, которого зовут Дилиторх-Сингх.

Мужчина кивнул и посмотрел на девушку, кивнул и снова посмотрел в лицо Владимира. Смотрел внимательно, словно пытался запомнить его.

— Я дам вам денег, но камень оставьте у себя. Брат моей жены не стал бы помогать плохому человеку.

— Он ваш родственник? — не поверил Владимир.

— Двоюродный брат моей жены Аджуни-Каур[1].

— Тогда передавайте ей привет от брата. Дилиторх говорил мне о ней. Она далеко сейчас?

— Далеко: она у Бога. Уже почти месяц.

— Простите, — Владимир посмотрел на белую чалму и вспомнил, что означает этот цвет.

Мужчина открыл кассу. Достал несколько банкнот и положил перед Владимиром.

— Пятнадцать тысяч.

— Пусть камень хранится у вас, — попросил Владимир. — Потому что я не знаю, что будет со мной через полчаса.

---

[1] Каур — наподобие отчества всех сикхских женщин, (букв.) — принцесса.

Сикх взял танзанит и снова посмотрел на него, держа против света.

— Очень хороший камень, совсем без дефектов. И гранить его было сложно: это слоистый минерал. Но Дилиторх-Сингх — большой мастер. Вы его еще увидите?

— Вряд ли.

Владимир обернулся и увидел стоящих у магазинчика двоих парней в куртках, под которыми у них наверняка было оружие.

— Я должен идти, — произнес он. — Спасибо. Если я не вернусь через пару дней, делайте с камнем что сочтете нужным.

Он вышел из магазина, направился в сторону набережной «Морские ворота». И двое пошли за ним.

Сикх вышел из-за прилавка, открыл дверь на улицу и увидел через некоторое время, как к их недавнему посетителю со всех сторон приближаются мужчины крепкого телосложения. Он прикрыл дверь и вернулся, снова зашел за прилавок. Потрогал ту часть одежды, под которой был спрятан кирпан[1]. После чего снова взял в руки танзанит.

— Кто это был? — спросила девушка. — Он не очень похож на араба.

---

[1] Кирпан — меч, который каждый мужчина сикх всегда носит с собой, пряча его под одеждой. Меч нужен не для нападения, а для уважения.

— Он не араб, — подтвердил старик. — Но хочет быть похожим.

— Ему угрожает опасность?

Сикх поднес камень к самым глазам, чтобы получше рассмотреть, как цвет играет на гранях.

— Это воин света, — ответил он. — Если бы у нихангов[1] был такой предводитель, то Халистан[2] давно был бы свободным. Но ты не переживай за него: этот человек справится со своими врагами и вернется домой.

---

[1] Ниханги — каста воинов — у сикхов.

[2] Халистан — самопровозглашенное государство сикхов.

ПРОКЛЯТИЕ ТИТАНИКА

(Главы из романа)

Пролог

СКВОЗЬ ВРЕМЯ

> Посмотрите подольше на море, когда оно капризничает или бушует, посмотрите, [illegible] [illegible] только захотите. О любви и [illegible], обо всем, что жизнь может принести в вашу сеть. А те, что порой не ваша рука управляет штурвалом и вам остается только верить, так что хорошо.
>
> *Джоджо Мойес*
> *«Серебристая бухта»*

Все было как обычно, и тем не менее он почувствовал странное беспокойство. Это беспокойство не исчезало, и он не знал, что с ним делать.

Капитан «Титаника» Эдвард Джон Смит был опытным моряком и знал, что поддаваться панике на море — последнее дело. Капитан должен внушать чувство уверенности, спокойствие, потому что в его руках не только корабль, в его руках судьбы людей, вверенные ему на время. Но сам себе он не хотел признаваться, что с утра его мучает головная боль и боль эта не проходит. Он был несуеверным человеком, но почему-то ему хотелось поскорее закончить этот рейс, несмотря на то что он обещал быть самым громким и зна-

ПРОКЛЯТИЕ ТИТАНИКА
(Главы из романа)

Пролог

СКВОЗЬ ВРЕМЯ

> Посмотрите подольше на море, когда оно капризничает или бушует, посмотрите, каким оно бывает прекрасным и жутким, и у вас будут все истории, какие только захотите. О любви и опасностях, обо всем, что жизнь может принести в вашу сеть. А то, что порой не ваша рука управляет штурвалом и вам остается только верить, так это хорошо.
>
> *Джоджо Мойес.*
> *«Серебристая бухта»*

Все было как обычно, и тем не менее он почувствовал странное беспокойство. Это беспокойство не исчезало, и он не знал, что с ним делать.

Капитан «Титаника» Эдвард Джон Смит был опытным моряком и знал, что поддаваться панике на море — последнее дело. Капитан должен внушать чувство уверенности, спокойствие, потому что в его руках не только корабль, в его руках судьбы людей, вверенные ему на время. Но сам себе он не хотел признаваться, что с утра его мучает головная боль и боль эта не проходит. Он был несуеверным человеком, но почему-то ему хотелось поскорее закончить этот рейс, несмотря на то что он обещал быть самым громким и знаменитым за всю историю мореплаванья. «Титаник» подавлял своим великолепием, ошеломлял тем, что он, казалось, бросает вызов океану, дерзкой стихии. На нем было все, что можно только пожелать, — никогда еще людям не предлагалось путешествовать с таким комфортом и в такой роскоши.

Корабль был непотопляемым, капитан слышал это со всех сторон, что настораживало. Здесь крылся какой-то подвох. Какая-то неправильность. В море нельзя быть ни в чем уверенным. Это стихия, неподвластная людям.

Но рейс закончится через несколько дней, и если он постарается, то получит «Голубую ленту Атлантики» — приз за быстрое судоходство. И плаванье на «Титанике» останется позади, станет еще одной вехой в его биографии, о которой Смит станет вспоминать, когда выйдет на пенсию. Он был самым известным капитаном в Северной Атлантике. Триумфальное плаванье на «Титанике» должно было завершить его карьеру и стать последним рейсом.

На корабле был один груз, о котором он старался не думать. Мумия в деревянном ящике около капитанского мостика. Сначала он не понял, в чем дело, а потом ему объяснили, что ее нельзя везти в трюме как обычный груз. Она слишком ценная. Капитан поморщился, но сделал так, как его просили. Он был обязан выполнять пожелания пассажиров «Титаника». На судне плыли самые богатые и знаменитые люди мира, чье слово являлось законом, и он должен был делать то, о чем его попросят.

Смит старался не думать о том, *что* находится в ящике, ведь когда он думал об этом, на него нападало странное оцепенение, а перед глазами возникал легкий туман.

14 апреля в девять часов вечера, стоя на капитанском мостике, Смит обсудил со вторым помощником погоду. Сильно похолодало. Радиограммы передавали о скоплении льдов на их пути. Ситуация была рискованной, но корабль казался надежным, а риск — постоянный спутник моряков. Капитан хотел поскорее уйти в каюту и забыться сном. Никогда у него не было рейса, когда бы его так мучили головные боли и внезапно нападала слабость, которую он был вынужден от всех скрывать.

В этот день слабость появилась с самого утра. Как во сне он смотрел на телеграммы, предупреждавшие о льдах. Нужно было снизить скорость, но все внутри противилось этому. Он не узнавал сам себя...

Он уснул... И во время сна перенесся на мостик. И с ужасом почувствовал дрожь и вибрацию, исходящую от ящика. Он понял, что сейчас произойдет нечто ужасное, хотел крикнуть, проснуться, предупредить вахтенного, но не мог. Он видел безлунное небо с яркими звездами, темную маслянистую воду, айсберг, выросший на пути корабля внезапно, словно ниоткуда, который шел прямо на корабль... Язык Смита был скован, он зашелся в немом крике, и вскоре резкий толчок сотряс лайнер.

Он открыл глаза: «Какой ужасный сон».

Но ему требовалось подтверждение, что весь этот кошмар — всего лишь сон.

Капитан быстро выбежал из каюты на мостик.

— Что это было?

И услышал в ответ:

— Айсберг, сэр.

КАТАСТРОФА ДЛИНОЙ В СТО ЛЕТ

Бог не играет в кости со Вселенной.

Альберт Эйнштейн

— Мы уезжаем отдыхать. Только подумай, в нашем распоряжении шикарный лайнер «Астория», — сказал Ульяне бойфренд и выжидательно посмотрел на нее.

Отдых — это здорово. Тем более — неожиданный. Димка сюрпризами ее нечасто баловал, и вдруг — расщедрился. Ульяна с улыбкой посмотрела на него и вскинула руки вверх:

— Ура!

— Ура! — подтвердил он. — Если честно, я и сам не верю. Роскошный лайнер, каюта — первый класс. Премировала родная редакция меня таким способом впервые за все время, что я пахал на нее. Наконец-то оценили мои труды по достоинству.

— Вот видишь, а ты говорил, что тебя затирают.

— Затирают, затирают, только поняли, что меру нужно знать, иначе восходящая звезда российской и международной журналистики Дмитрий Дронов уйдет в свободное плаванье. А за честь иметь его публикации на своих страницах будут драться «Фигаро», «Таймс».

— Надеюсь дожить до этого времени, — поддела его Ульяна.

— Доживешь, доживешь, куда ты денешься. — Дмитрий говорил на ходу, засовывая бутерброд в рот и отпивая кофе из кружки.

— Я рада, — сказала Ульяна. — А то ты совсем скис...

Но он, похоже, ее уже не слышал...

Дмитрий был доволен, таким Ульяна его не видела давно. Когда они познакомились год назад, Дмитрий произвел на нее впечатление вечного нытика. Нет, он был в меру обаятелен, имел чувство юмора — было видно, что он старается изо всех сил произвести на нее впечатление.

Они познакомились на вечеринке, организованной рекламной компанией, где работала Ульяна. А Дмитрий был журналистом в газете «Глас города» — издании, которое бесплатно рассовывали по почтовым ящикам, его обожали читать пенсионеры. Там было все про город: как он расцветает и хорошеет на глазах; какие здания и дороги собираются строить и ремонтировать, как градоначальник денно и нощно заботится о горожанах и как повезло им, что они в нем живут. Как сказал Дмитрий, когда их представили друг другу: «Мы распространяем сплошной позитив в эпоху всеобщего уныния. Кстати, милая девушка, это самый востребованный товар на сегодняшнем рынке. Позитива, вот чего нам всем не хватает». Свой позитив молодой человек подкреплял спиртным, лившимся на халяву, а также канапе с красной икрой, которые регулярно исчезали у него во рту.

Коллега Ульяны Зоя Владимировна, рыжая стерва, разведенка с десятилетним стажем, бросала на нее взгляды, полные ненависти. Очевидно, она строила планы на Дмитрия, а Ульяна невольно разрушила их.

— Слушайте, — прошептал Дмитрий, наклонившись к ней, — эта рыжая так на меня смотрит, я ее боюсь. Давайте удерем с вечеринки, здесь уже все приелось, хочется на свежий воздух.

Ульяна обвела взглядом небольшой зальчик, который был арендован ее начальником Виктором Степановичем для привлечения журналистской братии с целью «установления полезных и взаимовыгодных контактов», как было написано в пресс-релизе, и решила, что уже можно и на воздух.

Стоял апрель. На улице была приятная весенняя прохлада.

Дмитрий шел и молчал. Спустя три месяца он признался Ульяне, что боялся ляпнуть что-то невпопад или выглядеть в ее глазах тупым и неловким. Они дошли до метро, и тут он предложил Ульяне прогуляться еще. Она подумала: соглашаться или нет и неожиданно для себя сказала «да». Они прошли пешком до Александровского сада, и здесь Дмитрия словно прорвало. Он вдруг стал необычайно красноречивым и остроумным. Он сыпал анекдотами и разными журналистскими байками. Судя по его рассказам, выходило, что он чуть ли не главный редактор, хотя его роль в газете была намного скромнее. Но это выяснилось значительно позже и мимоходом. Ульяна скептически улыбалась: она была девушкой разумной и вешать лапшу ей на уши не стоило. Но этот застенчивый молодой человек, изо всех сил старающийся выглядеть храбрым львом, чем-то ей понравился. Он напоминал нахохлившегося птенца, который трясется перед крадущейся кошкой, но изо всех сил старается выглядеть отчаянным смельчаком. Да и потом, ей наскучило собственное одиночество. После смерти родителей она жила одна. Отец умер от инфаркта три года назад. Через год умерла мать.

Тот мир, в котором она жила и который казался ей незыблемым, постоянным и устойчивым, вмиг разбился как хрупкая фарфоровая статуэтка, по неосторожности уроненная на пол. Ульяна хороша помнила день, когда умер отец.

Это был декабрь, выпал первый снег — робкий, неуверенный. Он таял и выпадал снова. Папа должен был прийти с работы, он приходил всегда в одно и то же время — в половине седьмого. А в тот раз не появился. Мама спохватилась в половине девятого.

— Папы до сих пор нет, — сказала она с беспокойством. — Звоню ему на сотовый — он не отвечает. Что случилось, не пойму, он обычно сразу берет трубку, а сейчас — «абонент недоступен». Пойду посмотрю.

— Куда? — спросила Ульяна. — Может быть, он на работе...

Отец работал в гуманитарном институте, располагавшемся в старинном здании в центре Москвы. Что было потом, Ульяна смогла восстановить спустя некоторое время со слов матери, по ее сбивчивым объяснениям.

...В институте отца не оказалось, вахтерша тетя Люся пояснила, что Константин Николаевич ушел вовремя, как всегда, не задерживаясь и пожелав ей хорошего вечера. «Правда, в последнее время он был слишком задумчивый, — после недолгой паузы сказала тетя Люся, — но я приписывала это возрасту». — «Ах, какой возраст, —

отмахнулась мама. — Шестьдесят четыре года всего лишь... Разве это много?»

По наитию мать стала кружить вокруг института, она заходила во дворы, улочки и все время звонила... Но абонент по-прежнему был «недоступен». И вдруг ей пришла мысль позвонить по старому телефону. У отца был еще один мобильный, со старым он не расстался, брал его с собой. Родители вообще неохотно расставались со старыми вещами, они называли их реликвиями с «историей» и говорили, что в каждой такой вещи живет душа владельца...

Уже темнело. Крупными хлопьями валил снег, на расстоянии вытянутой руки ничего не было видно, и вдруг мать услышала тонкую мелодию — Шопен. Звук был приглушенным, но слышным. Едва-едва. И она пошла наугад на эту мелодию. Из-за снега, валившего отвесной стеной, звук пробивался с трудом, то появляясь, то исчезая. Ульяна представила, как мать раздвигает руками летящие хлопья, пытаясь уловить мелодию, звучавшую то глухо, то отчетливо... Это была смертельная игра в прятки... Звук становился все слышней, и мама поняла, что идет правильно. Она нырнула под арку и остановилась во дворе. Сквозь пелену снега тускло светились окна в домах, они расплывались у нее перед глазами. От колкого снега мать боялась задохнуться, кружилась голова, взмахнув руками, она чуть не упала, и в этот миг ее рука нащупала что-то твердое. Это был ствол дерева, росшего во дворе. Мелодия уже раздавалась почти рядом и вдруг заглохла. Видимо, садился заряд батареи старого мобильного. «И меня охватил страх, — рассказывала мать, — я поняла, что могу потерять Костю в любой момент, а он где-то рядом. И тут я ударилась коленкой о доску». Справа что-то смутно чернело... Она сначала увидела рукав пальто, и теплая волна прилила к сердцу. Костя! «Это был твой отец, Уля, понимаешь». Она смотрела на дочь потемневшими глазами, вспоминая, как радость сменилась робкой надеждой, а потом — отчаянием.

«Я тронула его за рукав, — вспоминала мать, — но он даже не шевельнулся. И меня посетила глупая мысль, что он просто замерз, я взяла его руку и поднесла к губам, он накренился ко мне, и я поняла, что случилось непоправимое, ужасное, только все еще отказывалась в это верить.

И тут я закричала... собственный крик отдавался у меня в ушах, а я все кричала, пока ко мне не подошли люди... Дальнейшее не помню. Приехала «Скорая».

Мать говорила, спешно проглатывая слова, самое главное она сказала, остальное было не важно...

Ульяна помнила, как приехала мама с двумя незнакомыми людьми — они согласились помочь ей доехать, как она легла ничком на кровать, отвернувшись к стене, не сказав ни слова, а эти незнакомые Ульяне люди, наконец, рассказали, что случилось...

Ульяна не верила их словам, ей казалось, что произошла чудовищная ошибка и сказанное относится не к ее отцу, а к другому человеку. И папа жив, и сейчас позвонит в дверь, и пробасит:

— Долго же ты мне не открывала, Уля!.. Закопалась, барышня, чем занималась?

Мама немного отошла только к концу недели. Словно в тумане прошли похороны, поминки, справили девять дней.

Дома все оставалось в том виде, как при жизни отца, мать не трогала ни его вещи, ни письменный стол.

«Сердечная недостаточность», — вынесли свой вердикт доктора. «Он раньше никогда не жаловался на сердце, — задумчиво сказала мать, когда после поминок они сидели на кухне и пили чай. — Хотя, может быть, терпел боль и не говорил мне об этом. Он с молодых лет был стойким и терпеливым. Почему он умер на скамейке? Что он делал в том дворе? Как туда попал?»

Документы были при отце, но мобильный пропал. Старый сотовый просто не заметили, оказывается, он провалился в подкладку кармана. «Кто-то успел ограбить его, — сказала мать, — до чего низко пали люди, они даже не вызвали «Скорую». Может быть, его можно было еще спасти». — «Он мог выронить мобильный и потерять его на дороге». — «Вряд ли, твой отец был аккуратным человеком, ты это знаешь, и потерять телефон... — мама покачала головой, — на него это не очень похоже... Хотя твой отец в последнее время несколько изменился. Стал каким-то... странным. Часто уходил в себя. Но я приписывала это тому, что в институте собирались проводить очередное сокращение. Он очень переживал по этому поводу. Не хотел остаться без работы. Он, историк, любил свое дело... — Ульяна услышала легкий вздох. Неожиданно мать тряхнула волосами. — Я хочу разобрать его вещи».

Она решительно прошла в комнату и потянула ящик письменного стола. Бумаги мать разбирала молча, сосредоточенно, когда Ульяна предложила свою помощь — отказалась. «Не надо, — сказала она, откидывая со лба светлую прядь, — я сама».

Отец был выше среднего роста, седые волосы, аккуратная щеточка седых усов, а мать — легкая, стремительная, тонкая кость, светлые волосы, которые всегда развевались вокруг лица подобно легкому облачку. «Мой одуванчик», — ласково называл отец жену.

«Жаль, что я не в мать, — часто думала Ульяна. — Высокая, крупная кость... — вся в отца. Правда, глаза у меня мамины — светлые. А характер взяла от обоих. Упрямство мамы и деликатность, мягкость папы. От него же привычка резать правду-матку, невзирая ни на что, и никак мне от этой привычки не избавиться...»

Ульяна сидела на кухне и пила чай, пойти спать, когда мама разбирает бумаги папы, ей казалось кощунственным. Она может понадобиться ей в любую минуту... Та позвала ее примерно через полчаса:

— Уля! Смотри, что это?

Ульяна выросла в дверях. Мать сидела на диване в домашнем халате и смотрела на нее ввалившимися от бессонницы и переживаний глазами.

— Вот, — она махала в воздухе двумя билетами. — Билеты в Тверь. Он ездил туда дважды и ничего мне об этом не сказал. Только подумать, у твоего отца были от меня секреты, и это после стольких лет, что мы прожили вместе. — Она закусила губу. — Уля! — Слезы брызнули из ее глаз. — Да что же это такое! Может, у него появилась женщина, он хотел от меня уйти, ездил к ней тайком в Тверь, не знал, как мне все это объяснить, и поэтому его сердце в конце концов не выдержало.

Ульяна подошла, села рядом с ней и погладила ее по голове. Только сейчас она обратила внимание, как высохла и похудела ее мама за это время, в волосах блестела седина, которую раньше она регулярно подкрашивала, а теперь стало незачем. И руки стали похожими на тоненькие веточки. Ульяна обняла и прижала маму к себе.

— Ну что ты, какая женщина. Папа тебя любил...

— Я знаю. — Мама вытерла слезы тыльной стороной ладони. — Я знаю, но откуда эти билеты, — он же никогда ничего от меня не скрывал.

Ульяна кивнула. Ее родители были на редкость дружной парой, никогда не ссорились, все делали вместе и не имели секретов друг от друга... по крайней мере до последнего дня.

— Это какое-то недоразумение...

— Нет. Два билета. И еще... — она запнулась... — я только сейчас вспомнила: последнее время он стал уходить в себя, не откликался на мои вопросы, несколько раз я входила сюда, когда он работал, и Костя торопливо прикрывал листы журналом. Я тогда еще удивилась, подумала: он что, занимается какой-то сверхсекретной работой? А он, наверное, переписывался с той женщиной.

— Ма! Ну о чем ты? Выброси это из головы. Папа любил только тебя.

Мать крепко сжала губы и ничего не ответила.

— Сейчас я бы из него всю душу вытрясла, — сказала она сердито. Она словно негодовала на отца, что он умер вместе с какой-то тайной, которую так и не открыл ей, что у него было нечто, чем он не захотел делиться с ней...

После смерти отца мама утратила волю к жизни. Раньше Ульяна думала, что слова «воля к жизни» — пустой звук, но оказалось, что воля — это нечто вполне осязаемое. Вроде железного каркаса, который скрепляет все, нет воли — и человек рассыпается на глазах. Мама все делала по инерции, она жила, повинуясь привычному ритму, но мыслями была где-то далеко, там, где обитал ее обожаемый Костя. ...Однажды Ульяна зашла в кухню и увидела, как мама почему-то смеется, покачивая головой.

— Мам! Ты что? — спросила Ульяна, подходя к ней ближе.

Та посмотрела на нее, и ее взгляд стал пустым.

— Ничего, — ответила она. — Вот Костя сказал... — и осеклась.

Мать умерла осенью. Щедрой солнечной осенью, когда густым золотисто-багряным ковром были усыпаны все тротуары в городе, и дворники только успевали сметать с дорожек листья.

Она ушла во сне ночью. Утром Ульяна подошла к кровати и увидела, что она умерла легко, ей даже показалось, что мама сейчас откроет глаза, улыбнется и скажет:

— Улечка! Приготовь, пожалуйста, завтрак. И мой любимый кофе с молоком. Только молока налей погорячее и побольше, как я люблю...

После смерти родителей Ульяна впала в оцепенение. Она работала в маленькой конторе, где платили сущие гроши, денег не хватало, перспектив никаких, знакомые и подруги все незаметно рассосались. Она погрязала в трясине, откуда не могла выбраться.

И вот однажды, спустя полгода после смерти матери, весной Ульяна подошла к зеркалу, как она всегда делала перед выходом на улицу, и поразилась своему виду. На нее смотрел абсолютно старый человек, с тусклым взглядом, сутулой спиной и бледным лицом. Она смотрела на себя будто со стороны, как на чужую. И поняла: то, что она видит в зеркале, — ей категорически не нравится. У нее были длинные волосы, которые она любила распускать по плечам. Но сейчас, глядя на себя в зеркало, она поняла, что ей нужно сделать.

Она взяла ножницы и отрезала волосы, а потом засела в Интернет на целый день и нашла себе работу. То ли постарался ее ангел-хранитель, то ли было счастливое расположение звезд, но место она нашла на удивление быстро, в хорошем офисе и с приличной зарплатой. А главное — работа оказалась творческая, то, что нравилось Ульяне. Она участвовала в создании рекламы. Заказчики попадались разные, но к каждому Ульяна старалась найти подход, пыталась увидеть нечто интересное — даже в самом безнадежном проекте. Ульянина реклама нравилась и заказчикам, и ее начальнику. Обычно она допоздна засиживалась в офисе, когда уже все рассасывались по домам. Она просто не могла признаться себе в том, что в пустой дом идти не хочется.

Так прошло полгода. Ульяна не притрагивалась к вещам родителей, но в начале марта решила разобрать их. Одежду родителей она рассортировала на две стопки. Одну собиралась отдать в благотворительный фонд, другую — оставить на память.

В старой папиной кожаной куртке она нашла пропуск в тверскую историческую библиотеку, выписанный на его имя. Опять Тверь, подумала Ульяна и нахмурилась. Может быть, у отца действительно появилась женщина в Твери и она работает в библиотеке? Пропуск был датирован октябрем прошлого года. Это было за два месяца до смерти отца.

Ульяна повертела пропуск в руке, она хотела разорвать его в клочья и выбросить в мусорное ведро, но почему-то не сделала этого. Она аккуратно разгладила пропуск и положила его в одно из отделений своего кошелька. Надо бы, когда станет тепло, съездить в Тверь и зайти в эту библиотеку. Может быть, я узнаю, что папе понадобилось там. Или все-таки лучше не ворошить прошлое? Пусть папа останется без малейшего пятнышка. А вдруг здесь дело не в женщине, а в чем-то другом?..

Жизнь шла по накатанной колее: дом — работа — дом, когда она встретила Дмитрия...

И вот они идут по ночной Москве и молчат.

— В-вас проводить? — Когда Дмитрий сильно волновался, он начинал слегка заикаться. — Наверное, родные уже волнуются.

— У меня нет родных. Все умерли.

Наступило молчание.

— П-простите.

— Ничего.

Несмотря на возражения Ульяны, Дмитрий все-таки проводил ее до дома, а на следующий день позвонил и предложил сходить в кино. Фильм, на который они пошли, был совершенно дурацким американским боевиком, из тех, где все вокруг стреляют, мутузят друг друга, а роковые красотки занимаются сексом при каждом удобном случае.

После кино они отправились в буфет. Дмитрий принес Ульяне кофе и воздушное безе, и только она откусила от него кусочек, как он предложил ей жить вместе.

— Так будет лучше, — убеждал ее он. — Вы совсем одна, вам нужен уход.

— Я еще не старая. — Ульяна не знала, плакать ей от этого предложения или смеяться.

— Но присматривать-то за вами надо.

— Я не породистый кот и не рыбка в аквариуме.

— Ерунда! — солидно ответил Дмитрий. — Вы девушка легкомысленная и можете наломать дров.

— Откуда вы знаете?

— Все девушки такие, — отмахнулся он.

Ульяна хотела возразить, что она жила как-то без него все эти годы, проживет и дальше, но вместо этого она встала и выпалила:

— Не трудитесь меня провожать. Всего хорошего.

Но Дмитрий был настойчив, он звонил по нескольку раз в день, несмотря на то что она вешала трубку, наконец, подкараулил ее около работы с букетом цветов, извинился и протянул два билета в театр.

— Надеюсь, в буфете между антрактами вы не будете делать мне никаких предложений? — спросила Ульяна.

Дмитрий завоевывал ее постепенно: шаг за шагом — медленно, но неуклонно. Осада крепости велась по всем правилам. Ульяна постепенно привыкла к нему, и через два месяца он переехал к ней со всеми своими нехитрыми пожитками. Дронов был из Рязани и снимал квартиру где-то в Гольянове, ездить на работу ему было страшно неудобно, а на жилье получше не хватало денег. Вопреки «распространяемому позитиву» платили в газете мало, считая, что хватит и этого. Но все это Ульяна узнала позже. Дмитрий сразу поразил ее своей прагматичностью. Он тушил свет и не давал зря жечь электроэнергию, воду в кране закручивал до упора, из продуктов никогда ничего не выбрасывал, потом собирал остатки еды, заливал их майонезом и получался «дроновский салат», так он называл это «блюдо». Порвавшиеся носки не выбрасывал, а аккуратно штопал, одежду покупал практичную и неяркую. Машиной не обзавелся, потому что считал, что автомобили жрут слишком много бензина, а метро и другим общественным транспортом зачастую добираться удобнее. Ульяна зарабатывала больше Дмитрия, что было тяжелым ударом по его самолюбию. Он ворчал и говорил, что творческим людям всегда живется труднее, а сейчас рулят «эффективные манагеры». Время такое...

Ульяна чувствовала, что она незаметно превращается в тихую серую домохозяйку, которая на всем экономит и боится лишних трат. На Новый год все в Ульяниной конторе уехали отдыхать: кто в Альпы кататься на зимних лыжах, кто — в Турцию или Таиланд.

Дима же приехал в десять часов вечера после корпоративной вечеринки с елкой.

Ульяна подозревала, что елка была подобрана на елочном базаре или выброшена кем-то за ненадобностью. Один ее бок был ощипан, а макушка — срублена.

— Живое дерево, — топтался в коридоре Дмитрий. — И пахнет хвоей. Хвоя и мандарины — приметы Нового года. Кстати, я успел забежать в магазин и купить килограмм мандаринов.

— А шампанское?

— Уже не было. Купил красного вина. А чем это пахнет? — спросил он, поводя носом.

— Гусем с яблоками.

Ульяна вспомнила свой прошлый Новый год, который отмечала с девчонками. Они уехали в Суздаль, сняли там небольшой коттедж в лесу и оторвались на славу. Когда ударили куранты, они, не сговариваясь, выбежали на улицу и стали что-то кричать, хохотать, петь песни. Ульяна помнила, как Маринка выписывала немыслимые акробатические па вокруг елки, а потом упала в снег и расхохоталась:

— Ой, девчонки, как же здорово!

Их компания вскоре распалась. Маринка через месяц познакомилась с чехом, они поженились, и она уехала к нему в Прагу, а Татьяна ухаживала за парализованной капризной бабкой, и ей стало ни до чего.

Но, несмотря ни на что, Ульяна себе все-таки признавалась, что привыкла к Дмитрию, и, пожалуй, с ним все-таки лучше, чем одной. Хотя иногда она задумывалась, неужели ей суждено прожить с Дроновым всю жизнь? По ее мнению, они были слишком разными людьми...

* * *

В самолете Ульяне досталось место у иллюминатора, она смотрела, не отрываясь, на пенистые облака, проплывавшие мимо.

Она с трудом оторвалась от неба и открыла рекламный буклет. «Круизное судно «Астория» (Astoria) было построено на верфях Финкантьери в Сестре-Поненте (Генуя, Италия). Сразу после спуска на воду оно заняло 8-е место в десятке самых больших круизных судов в мире. Строительство лайнера обошлось заказчику в 450 миллионов евро.

После окончания строительства корабля в европейских СМИ о нем писали: «*Спущен на воду новый флагманский пассажирский лайнер итальянского туристического флота «Астория» — самый большой круизный корабль Европы. Водоизмещением 112 000 тонн, принимающий на борт 3780 человек, лайнер стал самым крупным пассажирским судном, когда-либо ходившим под итальянским флагом*».

Длина 12-палубной «Астории» составляет 290 метров, на судне имеется 1500 кают, 5 ресторанов, 13 баров, 4 бассейна. Свои услуги туристам предоставляют оздоровительный центр, концертные залы, магазины и парикмахерские. Команда лайнера и обслуживающий персонал составляет около 1020 человек.

Вас ждет незабываемое путешествие... Добро пожаловать на лайнер «Астория».

— Ну как? — спросил Дмитрий, отрываясь от своего ноутбука. — Впечатляет?

— Здорово!

— Я так и думал, что это нечто грандиозное, — пробормотал он, снова утыкаясь в какой-то журналистский материал.

Каюта была уютной и комфортабельной.

Они не стали распаковывать вещи, переоделись и вышли на палубу. Публика, как заметила Ульяна, была интернациональная. Англичане, французы, итальянцы. Также слышалась и русская речь.

Было тепло, но с моря дул легкий ветер, и она вернулась в каюту, чтобы взять теплый длинный шарф, в который можно было завернуться и согреться.

Когда она вышла на палубу, Дмитрий стоял, облокотившись о борт, и смотрел направо. Проследив за его взглядом, Ульяна заметила, что он смотрит на невысокого мужчину, который шествовал под руку с блондинкой, девушка чему-то смеялась, демонстрируя безупречные зубы, и прижималась к своему спутнику.

— Это твои знакомые? — спросила Ульяна, подходя ближе. Ей показалось, что Дмитрий смутился.

— Ты что? Я просто засмотрелся, пока ждал тебя, что-то ты долго ходила. Это, Уля, только начало нашей новой жизни. Скоро все изменится.

— Тебе поручили новую колонку?

— Вот что. — Дмитрий отстранился от нее и принял серьезный вид. — Мои дела — это журналистские секреты. И раньше времени обнародовать их не стоит. Сама понимаешь, конкуренты не дремлют. Я человек суеверный, поэтому заранее о своих новых планах говорить не хочу. Когда наступит время — все скажу. А пока извини — молчок.

Раньше вроде никакой секретности и конкурентности не было. Но может, и правда на горизонте ее бойфренда замаячило что-то денежное. Журналисты — народ, который зависит от многих факторов. От удачи, умения оказаться в нужное время в нужном месте, от расположения сильных мира сего, от быстроты реакции, важности темы... Отсюда и суеверие, чтобы не сглазили и не обошли.

«В конце концов, вывез же он меня в это замечательное путешествие. И на том спасибо». Ульяна поежилась и прижалась к Димке.

— Что-то холодновато.

— Ничего! Терпи, мне нужно сейчас один материал обработать. Ты подожди меня, погуляй пока одна по палубе. Я скоро.

Народу на палубе прибывало. То там, то здесь раздавался смех.

Ульяна облокотилась о перила и посмотрела на воду. А потом вверх. Красивый закат: яркие хвосты разметались по небу — золотистые, оранжевые, ярко-красные, бирюзовые. Эти всполохи отражались в море, и блестящие струйки вспенивали воду. Красота! Почему она раньше не ездила в круизы? И вообще почти никуда до встречи с Димкой не ездила, только один раз в Турцию, и все.

Ей надоело стоять на палубе, и она решила спуститься вниз, познакомиться с кораблем. В коридоре Ульяна наткнулась на человека, показавшегося ей знакомым. Тут она вспомнила, что это мужчина, на которого смотрел Дмитрий, когда она подошла к нему на палубе. Ничем не примечательное лицо, средних лет, сухощавый, на лице — загар.

Он шел от рубки капитана, дверь в которую была приоткрыта, у Ульяны возникло искушение заглянуть туда. Капитан представлялся ей человеком с окладистой седой бородой, как в фильме про «Титаника» — мужественный и подтянутый. Настоящий морской волк.

Ульяна снова поднялась наверх, погуляла по палубе, потом позвонила Дмитрию, он сказал, что скоро все закончит и присоединится к ней. Через пятнадцать минут Дима показался в ее поле зрения нахмуренный и чем-то озабоченный. По его словам, у него жутко разболелась голова, чувствует он себя неважно и поэтому быть галантным кавалером при всем желании не может, пусть Ульяна на него не сердится. Несмотря на ее попытки как-то растормошить Димку, он по-прежнему оставался насупленным и на ее вопросы отделывался краткими междометиями.

Потом Димка внезапно сказал, что хочет пораньше лечь спать, так как он устал: день был суматошным — перелет, то-се... Ульяна может оставаться на палубе и гулять, сколько ей вздумается. Но оставаться одной в шумной веселой толпе Ульяне не хотелось, и она спустилась вместе со своим бойфрендом в каюту.

Раздевшись, она уснула, между тем как Дмитрий что-то строчил на компе, несмотря на то что десятью минутами раньше уверял ее в том, что буквально спит на ходу.

Они с Дмитрием позавтракали, кроме них за столиком сидели пожилая англичанка, которую звали Мэри, и мужчина, представившийся как Герберт. Хорошее знание английского позволяло Ульяне общаться со своими соседями. Выяснилось, что Мэри уже много раз плавала по Средиземному морю, а мужчина как-то неопределенно мотнул головой, и Ульяна решила к нему ни с какими вопросами не приставать. Может, у человека голова болит или он вообще немногословен.

Дмитрий же сидел и вертел головой в разные стороны.

Случайно перехватив его взгляд, Ульяна с удивлением обнаружила, что он пялится все на того же мужчину, что и в прошлый раз. Тот был не один, с той же молодой девушкой-блондинкой, она заразительно смеялась, а он накрыл своей рукой ее ладонь. «Поймала папика», — подумала Ульяна. Сейчас это в порядке вещей, молодые девушки ловят богачей и живут за их счет. Мужчина выглядел как человек с солидным достатком. Часы «Rolex Daytona» стоили немало. Ульяна это знала, совсем недавно ее компания участвовала в их рекламе. Так что подлинная стоимость «ходиков» ей известна.

Но что Димка в нем нашел? Может, и вправду он его знает? Он — журналист, у него куча знакомых, с которыми он мимолетно сталкивается, пересекается на разных фуршетах-банкетах, пресс-конференциях и съездах... Его синяя записная книжка вспухла от телефонов и адресов. Контакты и связи журналиста — его золотая жила, которую нужно неустанно разрабатывать, любил говаривать Дмитрий.

После завтрака Ульяна фланировала по палубе, вид на побережье был красоты сказочной: скалы, городки, прилепившиеся к ним, разноцветные домики...

Остановились они в городе Савона, откуда планировалась экскурсия в Геную.

Еще до поездки Ульяна обзавелась путеводителем, чтобы при удобном случае можно было заглянуть в него и почерпнуть информацию.

Оставаться в Савоне предполагалось пять часов, а потом снова в путь. Курс на Марсель! В программе значилось посещение замка Иф, куда Александр Дюма поместил своего знаменитого персонажа — графа Монте-Кристо. Ульяна представляла, какие красочные она сделает фотки и как потом будут ахать-охать ее подружки.

Правда, Маринка сейчас в Чехии, а Татьяна ухаживает за парализованной бабкой, с грустью подумала Ульяна. Ну ничего, Маринке она пошлет снимки по электронной почте, а с Татьяной встретится в кафе, угостит ее кофе со сливками и пирожными. Надо же отвлечь подругу от мрачных мыслей.

Когда они сошли на берег, экскурсовод бойко провела их по основным достопримечательностям Генуи. Они осмотрели старинные дворцы и церкви — дворец Сан-Джорджио на площади Карикаменто, дворец Мелограно на Пьяцца Кампетто, кафедральный собор Сан-Лоренцо, палаццо Дукале и церковь Джесус.

Генуя была городом света и тени, резкий переход от светлых, залитых солнцем площадей к темным улицам — узким, наполненным прохладным полумраком, — поражал контрастом. Город карабкался на скалы, на улицу выходили лифты, которые поднимали людей вверх. Здесь царил дух древности, печали и покоя. Вечная соперница Венеции когда-то выиграла у нее пальму первенства, но теперь Генуя находилась вдали от основных туристических троп.

А потом у них появилось свободное время, и Ульяна потянула Дмитрия в сторону старого города, но он схватил ее за локоть и потащил за собой, ничего не объясняя.

— Куда мы?

— Все — потом. Не задавай лишних вопросов. Я тебя умоляю.

Они едва не бежали, впереди шла нестройная кучка туристов, среди них Ульяна, к своему удивлению, опять увидела того самого мужчину, за которым Дмитрий, казалось, наблюдал уже не в первый раз.

— Дим! — устало сказала она. — Ты не мог бы мне объяснить, почему...

— Быстрее! — подстегнул ее жених, и они рванули почти со спринтерской скоростью.

— Так мы ничего не увидим... — посетовала Ульяна. — Мне кажется, что старые города в таком темпе не осматривают, это напрасная трата времени.

От того, что она бежала — из нее в бодром темпе выдавливалось: «го-ро-да-не-ос-мат-ри-ва-ют».

Дмитрий вдруг неожиданно резко потянул ее за руку и втащил в какой-то магазин.

— Тише! — прошипел он.

Это был магазин сувениров, но, похоже, Дмитрия подарки не интересовали. Он подошел к витрине и уставился на улицу. Проследив за его взглядом, Ульяна увидела в магазине на противоположной стороне улицы все тех же мужчину с блондинкой. Они делали покупки.

— Дим... — начала Ульяна, но он сердито посмотрел на нее.

— Все — потом.

Когда мужчина со своей спутницей вышли на улицу, Дмитрий потянул ее за руку, и они снова понеслись галопом по генуэзским улицам.

На площади Дмитрий встал неподалеку от преследуемых и сделал вид, что его интересуют сувениры. Хлынувшие туристы на какое-то время закрыли мужчину с его спутницей. Когда же туристы рассосались, Дмитрий напрасно вертел головой: его «подопечные» исчезли.

Спустя десять минут они сидели в кафе и ели пиццу, и Дмитрий сердито объяснил Ульяне, что у него «редакционное задание». Мол, этот мужик связан с наркотрафиком, и его, как журналиста, попросили «попасти его». Задание секретное, и распространяться о нем он не имеет права.

Ульяна, уткнувшись в пиццу, делала вид, что поверила. Хотя ей казалось, что здесь что-то не так. Но по Димкиному виду она поняла, что к нему с расспросами лучше не подступать.

Вернувшись на лайнер, Ульяна почувствовала усталость и осталась в каюте.

Дмитрий какое-то время был с ней, но потом сказал, что хочет выйти и подышать свежим воздухом.

— Иди! — бросила она.

Оставшись одна, Ульяна подумала, что отдых, о котором она мечтала, превращается в нечто скучное и непонятное из-за странного поведения Дмитрия. «Не может он обойтись без своих «редакционных заданий», — злилась она, — ну и ехал бы один. При чем здесь я?»

Лежать в каюте ей надоело, и Ульяна решила найти Димку. На палубе его не оказалось, она спустилась вниз, дошла до конца коридора и повернула обратно. Дверь рубки капитана была приоткрыта, оттуда слышался женский голос. Говорили, кажется, на итальянском языке. Раздался игривый смешок. Наверное, какая-то не в меру ретивая пассажирка решила заглянуть к капитану и разговорилась с ним. Но это не ее, Ульяны, дело...

Она дошла до конца коридора и обернулась. К ее удивлению, из рубки капитана вышла та самая блондинка, спутница мужчины, за которым следил Дмитрий. Ульяна быстро отвернулась, чтобы блондинка не заметила, что она за ней наблюдает.

Ульяна поднялась на палубу, кругом царило непринужденное веселье, слышались громкие голоса.

Она спустилась в каюту, но долго там находиться не смогла и снова вышла на палубу.

На мостике стоял капитан, веселый, улыбающийся. Наверное, на него так благотворно подействовало общение с блондинкой, отметила Ульяна. Все-таки итальянец, темпераментный мужчина. «Мачо, — с иронией подумала она. — Но девица-то какова, крутит с двумя мужиками. Приехала с одним и не стесняется откровенно флиртовать с другим».

Тем временем капитан решил подойти ближе к берегу, чтобы поприветствовать своих друзей...

Он стоял, чуть расставив ноги, и самолично отдавал приказы рулевому, было видно, что он в хорошем настроении. Но тот выполнял приказы с замедленной реакцией, что бросалось в глаза.

Корабль шел прямым ходом к острову...

Справа и слева выросли небольшие рифы.

Нехорошее предчувствие кольнуло Ульяну. Она увидела верхушку скалы, выступающую перед кораблем, и в ту же минуту сильный удар сотряс лайнер. Над водой разнеслись аварийные сигналы. Корабль накренился, но спустя минуту выправился.

Ульяне показалось, что все выдохнули с облегчением, увидев, что опасность миновала. Корабль теперь держал курс в море. Неожиданно он стал крениться на другой борт, и судно понесло обратно к острову. Ульяна стояла, оцепенев, не в силах двигаться. Раздался толчок, она дернулась вперед и чуть не упала. «Астория» села на мель.

Кто-то рванул Ульяну за руку, и она очнулась. Толпа бежала в каюты.

Когда она очутилась в коридоре — погас свет, пришлось включить мобильный, люди вокруг чертыхались и ломились вперед.

Ульяна распахнула дверь каюты. Было темно, Дмитрий посветил мобильным ей в глаза, и она вскинула руку, заслоняясь от света.

— Что-то случилось? Я уже хотел бежать к тебе...

Она не успела ничего ответить, по громкой связи объявили:

«*Из-за отказа электрической системы свет временно отключен. Наши техники работают над устранением проблемы. Ситуация под контролем. Сохраняйте спокойствие. Не волнуйтесь и не паникуйте*».

— Похоже, это авария, — коротко бросила Ульяна, садясь рядом с Дмитрием. — Мы сели на мель.

— Повезло, — сказал Димка, захлопывая ноутбук. — Разрекламированное чудо техники, и на тебе. Прямо «Титаник-2».

— Не говори так, — передернула плечами Ульяна. Ей стало холодно, и она обхватила себя руками, пытаясь согреться. Вместо того чтобы утешать ее, Дмитрий нагоняет панику... — Интересно, скоро все закончится?

— Что именно? — осведомился Дмитрий. — Наше пребывание на корабле или что-то другое?

Ульяна пересела на свою койку. Глупая ситуация: сидеть в темноте и ждать непонятно чего. Как бы не случилось серьезной аварии — тогда вообще непонятно, что будет с ними со всеми...

Дмитрий нажимал на кнопки сотового, пытаясь установить с кем-то связь.

По рации раздался голос капитана: «*Корабль не затонет, я скину якорь, потребуется буксир. Дамы и господа, у нас небольшие проблемы с генератором питания, оставайтесь на своих местах, все под контролем*». Затем в динамиках раздался женский голос: «*Мы скоро починим электрогенератор. Все будет в порядке. Я прошу вас вернуться в свои каюты*»...

Ульяна перевела Дмитрию спич капитана.

— Мы и сидим в каютах, к чему нас призывают-то? Кстати, наверное, лучше выйти на палубу и посмотреть, в чем там дело. А то мы сидим здесь как кролики, — мрачно сказал ее жених.

Они замолчали, Димка то открывал ноутбук, то хватался за сотовый.

— Все работаешь? — пыталась подколоть его Ульяна.

Он бросил на нее раздраженный взгляд, и она опять замолкла. Сидеть в темноте было не очень-то уютно. Похоже, починка корабля затянулась... В голову лезли тревожные мысли. Почему-то в памяти возник любимый фильм «Титаник»... Но она сразу одернула себя: они, слава богу, не в ледяном Атлантическом океане, да и берег близко... А Димка мог бы найти какие-нибудь слова утешения. А то сидит, уткнувшись в свои гаджеты с мрачным видом, и на нее не обращает никакого внимания. Нет, все-таки они очень разные люди.

— Ты спишь? — не поднимая головы, спросил он.

— С открытыми глазами.

— Я бы на твоем месте попробовал соснуть. А то обстановка нервирует. Глядишь, пока дрыхнешь, все отремонтируют. Проснешься, а мы плывем...

Снаружи раздались крики, и Дмитрий выдохнул:

— Кажется, все намного серьезней, чем нас пытается уверить капитан-кретин.

— Дим! Давай выйдем на палубу, — предложила Ульяна.

— Ладно, пошли, — буркнул он, захватив с собой комп. Ульяна кинула свои вещи в большую сумку.

Дальнейшее напоминало сон... Некоторые пассажиры надели спасательные жилеты и стояли на сборных пунктах. Ульяна и Дмитрий искали взглядом капитана, но его не было. Краем сознания Ульяна отметила, что нигде не видно и мужчины, за которым следил Дмитрий, нет и его спутницы-блондинки. Интересно, куда они подевались, задавала себе вопрос Ульяна. Сидят в каюте? Ждут, что ситуация разрешится сама собой? Или они решили вообще не обращать внимания на аварию? Она для них вроде мелкой поломки автомобиля, который непременно отремонтируют спешно вызванные механики?

— Может быть, нам тоже надеть спасательные жилеты? — предложила Ульяна.

Но Димка ничего не ответил.

— Ты хорошо плаваешь?

— Не-пло-хо, — отчеканила Ульяна.

Паника усиливалась. Стюарды-азиаты, одетые в жилеты, пробежали мимо них и спешно, отпихнув женщин и детей, плюхнулись в спасательные шлюпки. Ульяна истерично рассмеялась.

Корабль накренило в другую сторону, и она уцепилась за рукав Дмитрия...

СОДЕРЖАНИЕ

Екатерина Островская
АКТЕРЫ ЗАТОНУВШЕГО ТЕАТРА 7

Екатерина Барсова
ПРОКЛЯТИЕ ТИТАНИКА
(*Главы из романа*) 279

Литературно-художественное издание

ТАТЬЯНА УСТИНОВА РЕКОМЕНДУЕТ

Островская Екатерина

АКТЕРЫ ЗАТОНУВШЕГО ТЕАТРА

Ответственный редактор *А. Антонова*
Редактор *И. Першина*
Младший редактор *А. Залетаева*
Художественный редактор *А. Стариков*
Технический редактор *Н. Духанина*
Компьютерная верстка *В. Фирстов*
Корректор *М. Зыкова*

В оформлении обложки использована иллюстрация:
Nataliia Kuznietsova / Shutterstock.com
Используется по лицензии от Shutterstock.com

ООО «Издательство «Эксмо»
123308, Москва, ул. Зорге, д. 1. Тел.: 8 (495) 411-68-86.
Home page: www.eksmo.ru E-mail: info@eksmo.ru
Өндіруші: «ЭКСМО» АҚБ Баспасы, 123308, Мәскеу, Ресей, Зорге көшесі, 1 үй.
Тел.: 8 (495) 411-68-86.
Home page: www.eksmo.ru E-mail: info@eksmo.ru.
Тауар белгісі: «Эксмо»
Интернет-магазин : www.book24.ru
Интернет-дүкен : www.book24.kz
Импортёр в Республику Казахстан ТОО «РДЦ-Алматы».
Қазақстан Республикасындағы импорттаушы «РДЦ-Алматы» ЖШС.
Дистрибьютор и представитель по приему претензий на продукцию,
в Республике Казахстан: ТОО «РДЦ-Алматы»
Қазақстан Республикасында дистрибьютор және өнім бойынша арыз-талаптарды
қабылдаушының өкілі «РДЦ-Алматы» ЖШС,
Алматы қ., Домбровский көш., 3«а», литер Б, офис 1.
Тел.: 8 (727) 251-59-90/91/92; E-mail: RDC-Almaty@eksmo.kz
Өнімнің жарамдылық мерзімі шектелмеген.
Сертификация туралы ақпарат сайтта: www.eksmo.ru/certification

Сведения о подтверждении соответствия издания согласно законодательству РФ
о техническом регулировании можно получить на сайте Издательства «Эксмо»
www.eksmo.ru/certification
Өндірген мемлекет: Ресей. Сертификация қарастырылмаған

Подписано в печать 08.06.2018.
Формат 84×108 $^{1}/_{32}$. Гарнитура «Newton».
Печать офсетная. Усл. печ. л. 16,8.
Тираж 8000 экз. Заказ № 5547.

Отпечатано с готовых файлов заказчика
в АО «Первая Образцовая типография»,
филиал «УЛЬЯНОВСКИЙ ДОМ ПЕЧАТИ»
432980, г. Ульяновск, ул. Гончарова, 14

Оптовая торговля книгами «Эксмо»:
ООО «ТД «Эксмо». 142700, Московская обл., Ленинский р-н, г. Видное,
Белокаменное ш., д. 1, многоканальный тел.: 411-50-74.
E-mail: **reception@eksmo-sale.ru**

По вопросам приобретения книг «Эксмо» зарубежными оптовыми покупателями *обращаться в отдел зарубежных продаж ТД «Эксмо»*
E-mail: **international@eksmo-sale.ru**

International Sales: International wholesale customers should contact Foreign Sales Department of Trading House «Eksmo» for their orders.
international@eksmo-sale.ru

По вопросам заказа книг корпоративным клиентам, в том числе в специальном оформлении, *обращаться по тел.: +7 (495) 411-68-59, доб. 2261.*
E-mail: **ivanova.ey@eksmo.ru**

Оптовая торговля бумажно-беловыми
и канцелярскими товарами для школы и офиса «Канц-Эксмо»:
Компания «Канц-Эксмо»: 142702, Московская обл., Ленинский р-н, г. Видное-2,
Белокаменное ш., д. 1, а/я 5. Тел.:/факс +7 (495) 745-28-87 (многоканальный).
e-mail: **kanc@eksmo-sale.ru**, сайт: **www.kanc-eksmo.ru**

В Санкт-Петербурге: в магазине «Парк Культуры и Чтения БУКВОЕД», Невский пр-т, д. 46.
Тел.: +7(812)601-0-601, **www.bookvoed.ru**

Полный ассортимент книг издательства «Эксмо» для оптовых покупателей:

Москва. ООО «Торговый Дом «Эксмо». Адрес: 142701, Московская область, Ленинский р-н, г. Видное, Белокаменное шоссе, д. 1. Телефон: +7 (495) 411-50-74. **E-mail:** reception@eksmo-sale.ru

Нижний Новгород. Филиал «Торгового Дома «Эксмо» в Нижнем Новгороде. Адрес: 603094, г. Нижний Новгород, ул. Карпинского, д. 29, бизнес-парк «Грин Плаза». Телефон: +7 (831) 216-15-91 (92, 93, 94). **E-mail:** reception@eksmonn.ru

Санкт-Петербург. ООО «СЗКО». Адрес: 192029, г. Санкт-Петербург, пр. Обуховской Обороны, д. 84, лит. «Е». Телефон: +7 (812) 365-46-03 / 04. **E-mail:** server@szko.ru

Екатеринбург. Филиал ООО «Издательство Эксмо» в г. Екатеринбурге. Адрес: 620024, г. Екатеринбург, ул. Новинская, д. 2щ. Телефон: +7 (343) 272-72-01 (02/03/04/05/06/08). **E-mail:** petrova.ea@ekat.eksmo.ru

Самара. Филиал ООО «Издательство «Эксмо» в г. Самаре. Адрес: 443052, г. Самара, пр-т Кирова, д. 75/1, лит. «Е». Телефон: +7(846)207-55-50. **E-mail:** RDC-samara@mail.ru

Ростов-на-Дону. Филиал ООО «Издательство «Эксмо» в г. Ростове-на-Дону. Адрес: 344023, г. Ростов-на-Дону, ул. Страны Советов, д. 44 А. Телефон: +7(863) 303-62-10. **E-mail:** info@rnd.eksmo.ru
Центр оптово-розничных продаж Cash&Carry в г. Ростове-на-Дону. Адрес: 344023, г. Ростов-на-Дону, ул. Страны Советов, д. 44 В. Телефон: (863) 303-62-10. Режим работы: с 9-00 до 19-00. **E-mail:** rostov.mag@rnd.eksmo.ru

Новосибирск. Филиал ООО «Издательство «Эксмо» в г. Новосибирске. Адрес: 630015, г. Новосибирск, Комбинатский пер., д. 3. Телефон: +7(383) 289-91-42. **E-mail:** eksmo-nsk@yandex.ru

Хабаровск. Обособленное подразделение в г. Хабаровске. Адрес: 680000, г. Хабаровск, пер. Дзержинского, д. 24, литера Б, офис 1. Телефон: +7(4212) 910-120. **E-mail:** eksmo-khv@mail.ru

Тюмень. Филиал ООО «Издательство «Эксмо» в г. Тюмени.
Центр оптово-розничных продаж Cash&Carry в г. Тюмени.
Адрес: 625022, г. Тюмень, ул. Алебашевская, д. 9А (ТЦ Перестройка+).
Телефон: +7 (3452) 21-53-96/ 97/ 98. **E-mail:** eksmo-tumen@mail.ru

Краснодар. ООО «Издательство «Эксмо» Обособленное подразделение в г. Краснодаре
Центр оптово-розничных продаж Cash&Carry в г. Краснодаре
Адрес: 350018, г. Краснодар, ул. Сормовская, д. 7, лит. «Г». Телефон: (861) 234-43-01(02).

ISBN 978-5-04-095766-8

9 785040 957668 >